VOTRE COLLECTION

KU-097-442

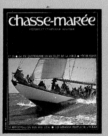      

au Chasse-Marée aujourd'hui

Je n'attends pas un jour de plus pour m'abonner
Je fais dès aujourd'hui s'abonner mes amis

ABONNEZ-VOUS AU CHASSE-MARÉE ET ÉCONOMISEZ
380 F pour un abonnement de 2 ans + 2 Albums photos
LES AMIS DU CHASSE-MARÉE SONT ABONNÉS !...

Tous les numéros du Chasse-Marée sont disponibles.
Vous pourrez les conserver dans un bel emboîtage toilé. chaque reliure est prévue pour 6 numéros.

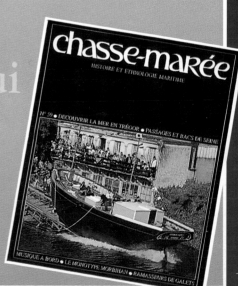

TRAITÉ DE LA CONSTRUCTION
DES YACHTS A VOILES

C.M. CHEVREUX
1898

Depuis sa création, Le Chasse-Marée poursuit une entreprise de longue haleine : aider à la renaissance d'une vraie culture maritime dans notre pays. A cet égard, le rôle de l'éditeur est, bien sûr, de publier les travaux les plus récents et de rendre compte de l'avancement des connaissances. Mais il est au moins aussi important de remettre à la disposition des amateurs les ouvrages fondamentaux, les "grands textes" qui seuls permettent d'accéder à une vraie compréhension du sujet maritime.
Aujourd'hui, Le Chasse-Marée est particulièrement heureux de pouvoir vous proposer un de ces "piliers" du savoir nautique : le Traité de la construction des yachts à voiles — avec son atlas de plans — publié en 1898 par C.M. Chevreux. L'ouvrage est fameux, mais d'une insigne rareté. Les bouquinistes, comme ils disent, " ne le voient jamais passer", et si d'aventure un exemplaire resurgissait, il serait proposé à un prix astronomique ! Depuis plusieurs années, nous recherchions patiemment cet oiseau rare, retrouvant d'abord le fameux " recueil de planches", puis avec l'aide de nombreux amis, au premier rang desquels il nous faut remercier André Mauric, le texte lui-même.

"Le" classique du yachting français

Le *Traité* de Chevreux peut être considéré comme le "maître-livre" de l'architecture et de la construction navale en France, la source où tous les grands, les Dervin, les Cornu, les Sergent, les Amiet, les Mauric ont puisé à leurs débuts. Pour comprendre ce que représentait naguère un tel savoir, méditez cette histoire : Noël Le Berre, le "sage" du chantier Pichavant, se souvient d'avoir recopié dans sa jeunesse, le soir, après sa journée de travail, des chapitres entiers de l'ouvrage, qui était déjà rare à l'époque...

Avec son atlas de plans, ce livre est bien l'équivalent français des grands classiques britanniques : on dit "le Chevreux" comme on dit "le Dixon Kemp" ! Par son côté "bible", c'est aussi un peu "le Dervin" de la fin du XIXe siècle, époque par excellence des yachts les plus racés, de la construction la plus raffinée, des gréements les plus spectaculaires.

Mais à la différence d'Henri Dervin, Chevreux écarte toute idée de dissertation générale sur les différents modes de construction, "pour ne s'occuper que des seules méthodes usitées dans les chantiers de construction de yachts français,

anglais et américains". Il cite d'ailleurs à l'occasion telle ou telle innovation technique d'un fameux charpentier de nos côtes, ou tel détail emprunté à Fife ou à Herreshoff, bref, son témoignage constitue donc un véritable document d'histoire de la construction navale.

Un remarquable manuel de construction

Mais c'est surtout un *extraordinaire manuel pratique*, qui garde toute sa valeur pour les amateurs de bateaux en bois d'aujourd'hui. Avec la rigueur d'un ancien élève du Génie Maritime, et le sens pratique d'un architecte professionnel renommé qui travaille avec les plus grands constructeurs du temps, Chevreux décrit une à une les différentes phases de la construction depuis la conception du plan de formes, les différentes opérations du tracé, la confection des gabarits, puis, pièces par pièces, la réalisation de la charpente, du bordé, du pont, jusqu'au calfatage. Plus de cent schémas et plans cotés illustrent l'ensemble. Un chapitre est consacré aux yachts en fer, et un autre aux puits de dérive, bulbs et autres "constructions spéciales", comme le bordé croisé.

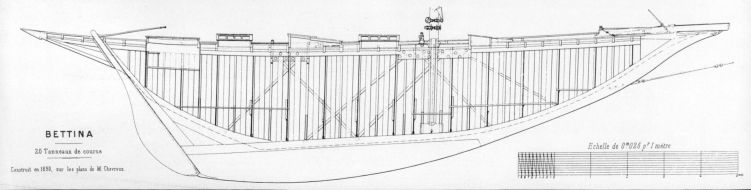

BETTINA

20 Tonneaux de course

Construit en 1890, sur les plans de M. Chevreux.

Echelle de 0^{m}025 p^r 1 mètre

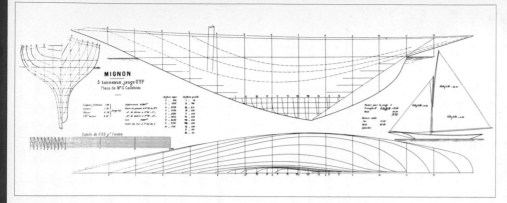

30 plans dépliants grand format

Un outil exceptionnel pour faire revivre la "belle plaisance"

Particulièrement précieuse est la partie de l'ouvrage qui traite de l'accastillage, des ferrures et apparaux, donnant des schémas de montage très précis des capots, roufs, claires-voies, et des plans de treuils, guindeaux, de râteliers de drisses, etc; un développement analogue est consacré à la technologie du gréement à corne avec de nombreux schémas et plans de ferrures cotés. Au total, une mine de renseignements pour ceux qui veulent gréer ou regréer des yachts classiques, ou simplement peaufiner un joli modèle !

Une banque de données irremplaçable

Les trois derniers chapitres traitent des aménagements, de la construction des petites embarcations, et des bois de construction. On notera à ce propos que le *Traité* de Chevreux donne de très nombreuses tables de résistance et de durée des matériaux, de poids, de proportions et d'échantillonnages, tout à fait complémentaires de ceux de Dervin : pas moins de quinze tableaux très fouillés concernant les bois, la force de la charpente, des espars, du chevillage, des chaînes, grelins, ancres, etc. L'extrême précision de ces observations fondées sur l'expérience font de cet ouvrage une véritable "banque de données" du yacht à voiles classique.

L'atlas de plans : un exceptionnel document d'architecture navale.

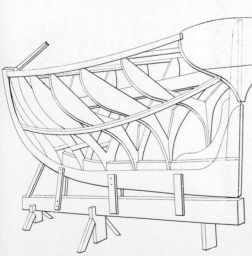

A côté du premier volume, déjà largement illustré, l'ouvrage comporte un deuxième tome, qui regroupe dans une chemise cartonnée trente magnifiques plans grand format, gravés sur très beau papier, et pliés en quatre.

Cet atlas fournit un remarquable aperçu de l'œuvre des plus grands architectes navals français au tournant du siècle : les créateurs connus, comme Chevreux, Tellier, Le Marchand, Moissenet, Godinet, Sahuqué, et bien sûr les célébrités comme Caillebotte et Guédon ! Les bateaux représentés sont de types très divers, du dinghy et du canot à clins du Havre à la goélette

112 illustrations, plans et croquis cotés

de croisière, des petits bulb-keels et fin-keels aux dériveurs lestés ou non, des grands racers de 20 tonneaux style *Luciole* aux bateaux de croisière inspirés des chaloupes sardinières. On y trouve même un précurseur du marconi !

Dans de nombreux cas, les dossiers comportent à la fois les plans de formes, de construction et de gréement — assez de données pour entreprendre sur le champ la construction ! —, et c'est ce qui fait du Chevreux un document exceptionnel pour tous les amateurs de bateaux.

Les magnifiques plans au format maximum de 76 x 28 cm ne sont pas reliés et peuvent être mis à plat, ce qui permet de travailler commodément, décalquer, etc...

Alors, amateurs de demi-coques et modélistes, à vos établis : vous allez découvrir les carènes des merveilleux yachts des années 1890 avec leurs splendides guibres et leurs gracieuses coulées prolongées par d'interminables voûtes, à moins que vous ne préfériez les lignes tendues et racées des bulb-keels... C'est l'époque du *Pen Duick* d'Eric Tabarly; jamais, sans doute les bateaux n'ont été aussi beaux !

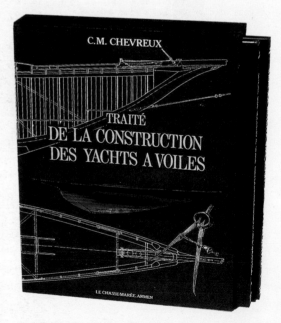

Préface d'André Mauric

Parution : novembre 1991. Réimpression en fac-similé de l'édition originale en deux tomes. Un volume de 312 pages et 112 illustrations sous reliure cartonnée, et un volume de 30 planches sous chemise cartonnée. Le tout est présenté dans un luxueux emboîtage illustré en quadrichromie.

L'ALBUM
CHASSE-MARÉE

HORS-SÉRIE N°2

Les plus belles images inédites du concours "Bateaux des côtes de France"

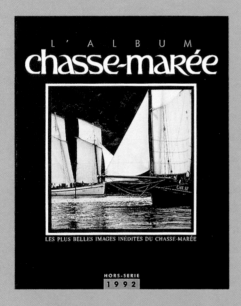

L'album du concours

Cent pages de photographies dédiées à tous ceux qui ont contribué à faire du concours "Bateaux des côtes de France" l'événement de l'année. Un hommage rendu à la passion, à la ténacité, au talent des associations qui, dans l'ombre ou la lumière, se sont dépensées sans compter pour que leur port ait un bateau digne de le représenter au rassemblement de Brest 92.

Ce grand reportage au cœur d'un "mouvement" qui n'a jamais si bien mérité son nom, raconte en images la renaissance des bateaux traditionnels de nos côtes, qu'il s'agisse de restaurations ou de répliques. Depuis l'étude des épaves, des demi-coques, des ex-voto... jusqu'à la manœuvre des voiliers, en passant par les gestes séculaires des charpentiers, sans oublier l'émotion suscitée par les lancements.

Plus qu'un simple bouquet de somptueuses photographies fleurant bon le bois, le chanvre et la mer, cet album est une véritable bouffée d'optimisme.

ALBUM HORS-SÉRIE LE CHASSE-MARÉE N°2
96 PAGES DE PHOTOS INÉDITES
FORMAT 22 X 27,5 CM

Il manquait à la Bretagne un grand livre consacré à la nature, un livre qui pourrait faire de nous, passants aveugles, des promeneurs enfin éclairés. Que savons-nous de ce pays, des vasières et des bois, des falaises et des rivières, des bêtes et des plantes ? En traversant tous les milieux naturels, des plus exceptionnels (la Brière, le mont Saint-Michel) aux plus ordinaires (une mare, un bois), des plus inattendus (une chapelle, une ancienne carrière) aux plus quotidiens (une grange, le centre-ville de Rennes), *Nature en Bretagne* offre une synthèse érudite et sensible qui nous invite à respirer au rythme du monde vivant.

Nature en BRETAGNE

François de Beaulieu
Jean-Louis Le Moigne

ArMen
Le Chasse-Marée

TABLE DES MATIERES : L'Hiver. Vasières. Baie du Mont-Saint-Michel. En Baie de Saint-Brieuc. Golfe du Morbihan. L'homme, la terre, le ciel. Forêts. Un bois. Brocéliande. Bocages. Chasseurs. **Le Printemps**. Falaises. Les Sept-Iles. Goulien dans le Cap-Sizun. Belle-Ile-en-Mer. L'aventure des réserves. Eaux douces. Brière. Elez. Mares et fontaines. **L'Eté.** Landes. Cap Fréhel. Landes du Cragou. Prairies. La nature des Bretons. Dunes. Santec. Baie d'Audierne. Erdeven. **L'Automne.** Iles. Ouessant. Baie de Morlaix. Animaux domestiques. Villes et villages. Rennes. Une chapelle. Routes, ruines et carrières. *Annexes :* Naturalistes. Cartes des musées, écomusées, et réserves naturelles. Bibliographie. Index des noms d'espèces citées.

PARUTION NOVEMBRE 1991 : Un guide précieux de 304 pages au format 23,5 x 30,5 cm, comportant 250 photographies couleur, 40 dessins. Un index de plus de 1 000 espèces animales et végétales. 280 références. Reliure pleine toile, sous jaquette illustrée.

Sans jouer au bon sauvage, une vérité s'impose d'évidence à travers ce livre : plus on pénètre dans les secrets de cette Nature en Bretagne, *et mieux l'on se porte. Il y a le bonheur de la découverte, de savoir nommer les choses par leur nom, de connaître les raisons de la présence, ici ou là, d'un héron, d'une anguille ou d'un muscardin. Il y a le sentiment de partager avec les auteurs une sorte d'allégresse. De partager aussi leur inquiétude face aux atteintes que subit le patrimoine naturel. Ils feront peut-être de nous des partenaires plus avisés pour l'avenir ?*

Les auteurs

Collaborateur régulier de la revue *ArMen,* **François de Beaulieu** est aussi enseignant et auteur de récits, enquêtes, albums, guides et scénarios. La Bretagne et les relations de l'homme avec la nature sont l'objet de ses recherches. Il est, au sein de la Société pour l'étude et la protection de la nature en Bretagne, responsable de la réserve des landes du Cragou, dans les monts d'Arrée.

Jean-Louis Le Moigne a grandi en Cornouaille et collabore à de nombreuses revues consacrées à la nature. Ses photos sont un précieux instrument pour faire aimer un univers qui ne s'offre vraiment qu'aux plus patients de ses amoureux, et Dieu sait que pour la patience, même l'escargot de Quimper s'étirant sur son talus paraît un agité comparé à Jean-Louis Le Moigne, blotti dans son affût.

Les contributions des meilleurs spécialistes

Des scientifiques ont largement contribué à *Nature en Bretagne.* Sans céder à l'excès de jargon, ils ont apporté le fonds indispensable à la rédaction d'un ouvrage exemplaire. Des contributions ou des encadrés hors-textes ont ainsi été rédigés par :

Jean-Noël Ballot : animateur du groupement ornithologique breton.

Frédéric Bioret : botaniste, enseignant à l'université de Bretagne occidentale.

Jean-Pierre Cuillandre : océanographe.

Yvon Guermeur : directeur de la station ornithologique d'Ouessant (Parc d'Armorique).

Roger Mahéo : ornithologue, responsable national du Bureau international de recherche sur les oiseaux d'eau.

Jean-Yves Monnat : ornithologue, enseignant à l'université de Bretagne occidentale.

Pierre Phélipot : auteur de nombreux ouvrages sur la vie des rivières.

Gérard Tiberghien : entomologue, chercheur au CNRS et à l'INRA.

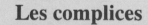

Les complices

Jacques Hamon, qui est né à Brest il y a trente-cinq ans, dessine depuis qu'il sait tenir un crayon. Les visiteurs d'Océanopolis connaissent bien son travail rigoureux d'illustrateur.

La Société pour l'étude et la protection de la nature en Bretagne (SEPNB) a particulièrement soutenu la réalisation de *Nature en Bretagne.* En apportant, au travers de sa revue *Penn ar Bed* et du livre, malheureusement épuisé, *Bretagne vivante,* une masse d'informations exceptionnelles et un modèle de rigueur inégalé. En dispensant pendant près de trois ans un soutien constant aux auteurs.

Construction bois
les techniques modernes

Construction en bois, c'est aujourd'hui possible

Construire de ses mains un canot à voile et aviron ou même un petit yacht classique. Construire un de ces bateaux en bois nés de la tradition, si bien adaptés à un nouvel art de naviguer en promenade familiale, en petite pêche, en découverte du milieu marin ou en croisière côtière. C'est aujourd'hui possible.

Des techniques modernes simplifiées

Architecte naval, auteur de nombreux bateaux traditionnels et canots voile-aviron, François Vivier est bien connu des lecteurs du *Chasse-Marée* pour ses dossiers de construction des Abers et des Ilurs destinés aux amateurs.

En proposant aujourd'hui cet ouvrage, il rend accessible au plus grand nombre la construction de bateaux en bois : il s'agit de substituer aux méthodes rigoureuses de charpente navale traditionnelle des techniques modernes très simplifiées comme la construction en petites lattes ou en clins de contre-plaqué.

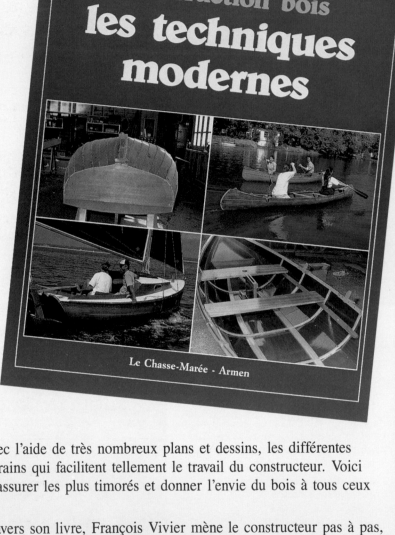

François Vivier

Construction bois les techniques modernes

Le Chasse-Marée - Armen

Pas à pas, jusqu'à la mise à l'eau

Tout au long de l'ouvrage le lecteur va découvrir, avec l'aide de très nombreux plans et dessins, les différentes techniques modernes et tous les matériaux contemporains qui facilitent tellement le travail du constructeur. Voici une promenade à travers les techniques qui devrait rassurer les plus timorés et donner l'envie du bois à tous ceux qui en redoutaient la mise en œuvre et l'entretien.

A travers son livre, François Vivier mène le constructeur pas à pas, de la pose des gabarits jusqu'à la mise à l'eau. C'est aussi l'occasion de découvrir les aménagements du bateau, les formes si variées des avirons, les détails de finition et d'accastillage, les principaux gréements et voilures des canots et bateaux traditionnels…

Un ouvrage qui vient très heureusement compléter les plans de cet architecte et qui permettra aussi à chacun de concevoir et réaliser d'autres bateaux contemporains, inspirés de l'inépuisable tradition.

A PARAÎTRE : Un très beau recueil illustré - 120 pages, format 22 × 27,5 cm - de François Vivier, 15 pages en couleurs. Relié cartonné couleur.

Le Chasse-Marée, 8 numéros par an.
Dépot légal : novembre 1991
Commission paritaire : N° 63915.
Comité de direction : Michel Bescond, Bernard Cadoret,
Michel Colleu, Jean-François Garry, François Puget.
Directeur de la rédaction : Bernard Cadoret.
Directeur artistique : Jean-François Garry
Rédaction : Michèle Cadoret,
Michel Colleu, Jean-François Garry,
André Linard, Xavier Mével, Kim Savina.
Reportages photographiques : Michel Thersiquel.
Collaborateurs : Denis-Michel Boell, Patrick Boyer,
Pierre-Yves Dagault, Jacques Guillet, Henry Kérisit,
Gilles Millot, François Vivier.
Fabrication, maquette : Claude Hascoët, Brigitte Rogel,
Laurence Le Doaré.
Direction commerciale : Gilles Cadoret, Jean-Yves Lazennec.
Brest 92 : Jakez Kerhoas.
Communication : Anne Burlat.
Scop Le Chasse-Marée
Abri du Marin. 29100 Douarnenez.
Directeur de la publication : François Puget.

Quarante ans après son tour du monde exemplaire, le
bateau de Jacques-Yves Le Toumelin, parfaitement
restauré par les amis du navigateur, n'a rien perdu de
son pouvoir évocateur. Les modes passent, le *Kurun*
reste et fleure toujours aussi bon la liberté.
(photo Michel Thersiquel)

Impression : Mame à Tours.
Photogravure : Chromostyle à Tours.
Couverture : Impression : Le Govic à Saint-Herblain.

Publicité :
- Saincy Communication,
Maurice Duron, Jocelyne Goarant.
15, rue d'Hauteville - 75010 Paris, (1) 48 24 02 40.
- Atlantique Régie,
Marc Rohou, 103, rue de Clerville,
35510 Cesson-Sévigné, téléphone 99 83 89 03.

La Direction du *Chasse-Marée* laisse aux auteurs l'entière
responsabilité de leurs opinions. La reproduction et
la traduction partielles ou intégrales des textes ou
illustrations sont soumises à un accord préalable.

Rédaction : 98 92 66 33. Fax : 98 92 04 34. Service commercial, abonnements : 98 92 09 19. Fax : 98 92 80 01. Diffusion, inspection, rassorts : 99 41 77 62 - Inscrit à l'

Sommaire

Les câbliers
Louis-Christophe Mertz

Le travail au quotidien des navires câbliers, toujours très actifs, notamment grâce à l'invention des câbles
à fibres optiques, complémentaires des satellites.

Le passage du Nord-Ouest américain
Jean-Pierre Caillé

A la fin du XVIIIe siècle, les navigateurs russes, espagnols, anglais et français ont exploré méthodiquement
les côtes Nord-Ouest du continent américain. A défaut d'y trouver le fameux passage entre l'Atlantique et le Pacifique, ils ont
découvert un littoral grandiose fourmillant d'îles, de fjords et de glaciers, et rencontré des cultures indiennes originales.

Les canots de la découverte
Gregory Foster

Pour explorer et cartographier l'intérieur des côtes Nord-Ouest américaines, les explorateurs ont dû utiliser
les petites embarcations de leurs navires. Deux siècles plus tard, celles-ci ont été reconstruites et naviguent
dans les sites où elles s'étaient illustrées.

Le *Kurun* reprend la mer
Danièle Lamotte

Pour entreprendre son tour du monde, Le Toumelin avait conçu un bateau tellement robuste qu'il n'a subi aucune avarie
au cours de son périple. Quarante ans plus tard, le *Kurun*, remis en état par les amis du navigateur,
est aussi pimpant qu'à son neuvage.

Rubriques

Crédits photographiques : Coll. France-Télécom : pp. 2, 6 et 15; Louis-Christophe Mertz : pp. 3 et 16; Musée de la Marine : pp. 4 et 12; Frédéric Buxin : pp. 7, 8, 9b, 10, 14 et 17; Yves
Guillamon/Dtre : pp. 9h et 11; Pierre Diot/Cédri : pp. 18, 20 et 26; J.-E. Pasquier/Rapho : p. 24b; Coll. particulière : p. 34; Gregory Foster : pp. 36, 37h, 39, 40, 42, 44h, 45, 46 et 47;
John Frazier Henry/*Early maritime artists of the Pacific Northwest coast, 1741-1841* : pp. 37b et 44b; René Vital : pp. 48, 57 et 58h; M. Pasturel : p. 49; J.-Y. Le Toumelin : pp. 50h et 55; Jean-Philippe Lamotte :
pp. 50b et 61b; P.-H. Allanet : p. 51; Coll. Les Amis du *Kurun* : pp. 52h, 56, 60h et 60m; Paul Farge : p. 52b; P. Oullard : p. 53; G. Dufour : p. 54; Coll. Jean Quilgars : p. 58b; Coll. André Bligné : p. 59;
Alain Guillou : p. 60b; Michel Thersiquel : pp. 61h, 62, 70hg et 70bd; Les Amis du Musée de la Marine : p. 63; Frères Seeberger : p. 65h; Jean Wheeler : pp. 68 et 69; Joël Douillet : p. 70bg;
Art and the seafarer/Faber : p. 71; P. Bélugou/*Monotypes et voiliers de course* : p. 72bd.

Les câbliers

Louis-Christophe Mertz

Lancé en 1974,
le *Vercors* est le plus
grand des navires
câbliers français.
Sa capacité d'embarquement
lui permet d'effectuer la pose
de très grandes longueurs
de câble, dans le monde entier.

Pendant très longtemps, les communications à distance se faisaient par des moyens sonores ou optiques : signaux de fumée, pavillons, ailes de sémaphores. Les messages étaient alors relayés par de nombreux guetteurs postés le long du trajet, entre les lieux d'émission et de réception. Au siècle dernier, l'invention du télégraphe électrique va révolutionner le domaine des transmissions, des nouvelles pouvant alors rapidement parcourir de très longues distances, du moins sur la terre ferme. Après quelques déboires, le problème du franchissement des mers et des océans fut assez vite résolu grâce à l'invention du câble télégraphique sous-marin, dont des centaines de milliers de kilomètres furent posés à travers le monde par des navires spéciaux, les câbliers.

Le développement successif des modes de communication par voie hertzienne puis spatiale, grâce à la mise sur orbites de nombreux satellites, semblait annoncer la fin inéluctable du câble, un peu plus que centenaire. Mais l'invention de la fibre optique va à nouveau bouleverser le monde des télécommunications. Complémentaire du satellite, un nouveau type de câble à très haute performance fait son apparition. Il est aujourd'hui posé par de grands navires câbliers dont les trois unités naviguant sous pavillon français, sont parmi les plus modernes du monde.

Louis-Christophe Mertz, ancien commandant de câbliers, nous invite à partager le travail et la vie à bord de ces bâtiments qui relient, au sens propre, les rivages lointains les uns aux autres.

C'est en 1827 que le physicien et mathématicien français André-Marie Ampère invente le premier télégraphe électrique. Deux ans plus tard, l'Américain Samuel Morse, s'inspirant des travaux du savant français, invente son propre système avec l'alphabet qui porte son nom, formé de combinaisons de signaux brefs et longs; mais ce n'est qu'en 1840 qu'il obtiendra son brevet.

Le télégraphe s'installe sur terre et très rapidement, pour répondre aux besoins grandissants de communication, la télégraphie électrique nouveau-née est lancée sous les mers. Le premier câble sous-marin reliant Calais à Douvres, d'initiative française, est posé en 1850 par deux bâtiments britanniques, le remorqueur *Goliath* et le chaland *Blazer*. La liaison fonctionne quelque temps, mais bientôt le câble, usé par les frottements sur les roches à l'occasion d'une tempête, se coupe et est abandonné, faute de savoir le réparer. Certains journaux de l'époque ont prétendu, sans en apporter de preuves, que l'avarie avait été provoquée par un pêcheur de Boulogne.

La première compagnie française fait faillite mais la preuve est faite que le système marche et peut s'avérer fort utile pour acheminer rapidement des nouvelles d'importance, tels des événements de guerre ou les cours de la bourse...

L'année suivante une toute nouvelle compagnie anglaise entreprend la pose d'un autre câble; après quelques déboires, la communication se fait plus durable et la presse exulte. Le principe de fonctionnement de l'ensemble du système est simple : chaque extrémité du câble est équipée d'un émetteur de signaux électriques et d'un récepteur, constitué d'un électro-aimant et d'une bobine qui déroule une bande de papier sur laquelle s'impriment les signaux.

Le câble télégraphique est constitué d'un fil conducteur en cuivre, isolé par une substance d'origine végétale résistant à l'immersion, la *gutta-percha*, le tout enrobé d'une *armure* de fils d'acier et de jute goudronné.

Les formes et la structure de l'avant d'un câblier sont déterminées par la présence de forts daviers. L'étrave du navire porte les marques de frottements des portions de câbles remontées pour être réparées.

Bientôt les poses de câbles vont se succéder sur de courtes distances, entre la Grande-Bretagne et l'Irlande, la Belgique, les Pays-Bas. La société britannique posera aussi en Méditerranée le premier câble entre la France et l'Algérie.

Reste à relever le défi de relier l'Ancien et le Nouveau Continent, en posant un câble à travers l'Atlantique. La première tentative a lieu en 1857; deux navires de guerre, le britannique *Agamemnon* et l'américain *Niagara* se rejoignent au milieu de l'océan, chacun devant regagner son pays respectif en dévidant le câble. Hélas, ce dernier se rompt au bout de trois cents kilomètres.

L'année suivante, les mêmes bâtiments font une nouvelle tentative en immergeant chacun la moitié du câble depuis leur rivage d'origine pour faire la jonction en plein Atlantique. Cette fois encore, le câble casse à plusieurs reprises, mais la liaison finit quand même par être établie le 29 juillet 1858; l'Europe et l'Amérique peuvent enfin communiquer. La liaison durera vingt-cinq jours... Et sera brutalement interrompue.

C'est le célèbre *Great Eastern* conçu par l'ingénieur Brunel qui tentera à nouveau de relever le défi. Ce véritable Léviathan des mers, paquebot malchanceux reconverti en navire câblier, appareille en 1865 pour poser un nouveau câble transatlantique, opération qui échoue suite à une nouvelle rupture. L'année suivante, une seconde tentative avec un autre câble est enfin couronnée de succès; le câble de 1865 est même ultérieurement récupéré, épissé à un nouveau tronçon et également mis en service.

Dès lors, beaucoup d'autres câbles vont être posés à travers le monde. En 1939, le réseau télégraphique sous-marin mondial s'étend sur près de 500 000 km, malgré la concurrence de la TSF à partir des années vingt, et une vitesse de transmission assez lente pour les distances supérieures à 3 000 km.

Si au début de l'aventure câblière la fourniture des câbles était l'apanage des Anglo-saxons, la France manifesta rapidement son indépendance en fabriquant ses propres câbles, à Toulon, à la Seyne-sur-Mer, puis à Calais.

Ce n'est qu'en 1960 que le câble classique jusque-là utilisé est abandonné, au profit du coaxial téléphonique. Enfin, au début des années quatre-vingts, est mise au point la fibre optique, actuellement en pleine expansion malgré les lancements de plus en plus nombreux de satellites de télécommunication.

Les liaisons par câbles sous-marins présentent aujourd'hui de nombreux avantages sur les procédés de transmission hertzienne ou spatiale, surtout sur les courtes et moyennes distances à forte concentration de trafic : absolue discrétion — on ne peut pas "capter" les communications —, absence totale de parasites d'origine atmosphérique, parfaite qualité de réception, réparations toujours possibles.

Néanmoins, il existe des inconvénients, en particulier les risques d'avarie ou de rupture dus à des chalutages intempestifs ou à des phénomènes naturels comme des séismes ou des échouages d'icebergs; il faut aussi mentionner une certaine vulnérabilité en cas de conflit, même si ce dernier risque est assez limité, les câbles étant en grande partie ensouillés et les stations terminales étant bâties comme des abris antiatomiques.

Aujourd'hui, les télécommunications à très fort trafic, telles celles qui traversent l'Atlantique Nord sont assurées à parts à peu près égales par les satellites et par les câbles, systèmes concurrents mais néanmoins complémentaires.

Les navires

Les premiers bâtiments qui participent à des travaux de câbles sous-marins sont fort disparates. En France, on équipe plus ou moins parfaitement des navires de guerre ou de commerce, en particulier plusieurs avisos, frégates et frégates à roues.

Le premier navire français véritablement armé en câblier est, en 1864, le *Dix décembre*, rebaptisé *Ampère* en 1870. Peu après, en 1873, le transport *La Charente* est transformé en câblier; ce navire, en service jusqu'en 1920, est rendu plus tard à la Marine pour être démoli en 1931.

De la fin du siècle dernier jusque dans les années vingt, les différents câbliers en service sont armés soit par l'administration des PTT, soit par la Compagnie française des câbles télégraphiques (ainsi du *Pouyer-Quertier*, lancé en 1879, désarmé en 1935), ou encore par la Société industrielle des télégraphes qui fabrique des câbles (tel le *François Arago*).

En 1930 est lancé l'*Ampère II*, armé par les PTT, qui est sabordé par les Allemands à Marseille, en 1944. Après la Dernière Guerre, la flotte câblière française se compose de l'*Emile Baudot*, construit en 1917 et désarmé vers 1960; du *Pierre Picard*, construit en France en 1913 sous le nom d'*Edouard Jeramec*, puis vendu à une compagnie américaine avant d'être racheté par les PTT après la guerre, et qui sombrera à Brest en 1952; de l'*Alsace,* lancé en 1939; de l'*Ingénieur en chef Hanff*, ex-caboteur hollandais *Poolster*, acquis en 1947; du *d'Arsonval*, ex-navire italien *Giasone* construit en 1930, ce dernier câblier ayant été reçu par la France en dommages de guerre.

En 1857, le navire américain *Niagara* et le britannique *Agamemnon* entreprirent de poser le premier câble transatlantique, mais sans succès. L'année suivante, les mêmes bâtiments réussirent leur jonction au milieu de l'Atlantique. Le 6 août 1858 ce câble, reliant Terre-Neuve à Valentia (Irlande), permit au président Buchanan d'envoyer de Washington un message à la reine Victoria; celui-ci arriva à destination soixante-sept minutes après son émission.

Cette flotte, de conception déjà ancienne, se renouvelle peu à peu et s'enorgueillit en 1951 de l'*Ampère III*, de 91 m de long, construit à La Seyne, et surtout en 1961 du *Marcel Bayard*, un bâtiment bénéficiant des équipements les plus modernes. En 1974, on lance le *Vercors*, un navire encore plus performant et de plus grande capacité. La flottille rajeunie permet alors d'opérer efficacement en Atlantique et en Méditerranée, mais en janvier 1981, le *Marcel Bayard* est victime d'un incendie à La Seyne-sur-Mer et totalement détruit.

L'administration française réagit alors très rapidement pour remplacer ce bâtiment ainsi que l'*Ampère III* arrivé en fin de carrière. Elle décide de construire deux navires neufs identiques : le *Raymond Croze* et le *Léon Thévenin*, qui sont mis en service en 1983. Avec le *Vercors*, ils forment depuis une flotte particulièrement adaptée aux missions de pose et de réparation de câbles, dans toutes les mers du globe, flotte armée par la Direction des télécommunications sous-marines du Ministère des PTT.

Le *Vercors*

Construit par la Société nouvelle des ateliers et chantiers du Havre en 1974, ce navire long de 133 m à l'origine, est large de 18,20 m, a un tirant d'eau maximum de 7,30 m et son port en lourd est de 5 700 t, pour un déplacement en charge de 11 000 t.

Le système de propulsion diesel-électrique, très souple, est particulièrement bien adapté au travail demandé. La puissance de 6 000 ch, attelée à deux hélices, procure en service normal une vitesse de 16,6 nœuds; deux propulseurs transversaux, l'un à l'avant, l'autre à l'arrière, développent chacun une puissance de 750 ch. L'équipement de navigation est très complet et comprend, en particulier, deux navigateurs par satellite, deux gyrocompas, deux radars, trois sondeurs dont l'un peut mesurer la profondeur jusqu'à six mille mètres.

Pour embarquer le câble sous-marin, ce bâtiment dispose de trois cuves principales et trois cuvelles d'un volume total de 2 425 m³. L'effectif du bord peut atteindre cent quatorze personnes : soit quatre-vingt-douze pour l'état-major et l'équipage et vingt-deux pour les ingénieurs et techniciens. Le *Vercors* a son port d'attache à Brest. Sa capacité d'embarquement de câble le rend particulièrement apte à effectuer de grandes poses et des réparations; il est équipé d'une *charrue*, engin nécessaire pour enfouir les

Longueur : 91,5 m
Largeur : 12,5 m
Tirant d'eau : 5,5 m
Déplacement : 3 975 t
Vitesse : 12,5 n

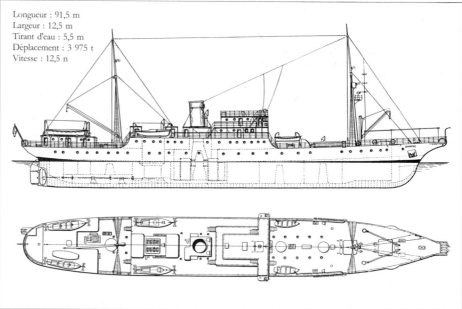

Ampère II, câblier construit à La Ciotat et mis en service en 1930. Equipé de deux machines à vapeur développant 2 400 ch, ses trois cuves permettaient l'embarquement de 600 t de câble. Il fut sabordé à Marseille en 1944.

câbles dans le fond des mers. En 1991, la longueur de ce navire a été portée à 136,10 m par l'allongement de la poupe, ce qui a permis l'installation de nouveaux moyens de manutention de charrue.

Le *Raymond Croze* et le *Léon Thévenin*

Plus spécialement affectés aux réparations, ces deux sister-ships ont été livrés, en 1983, par la Société nouvelle des ateliers et chantiers réunis du Havre et de La Rochelle-Pallice. Longs de 107 m, larges de 17,80 m, leur tirant d'eau, en charge, est de 6,25 m. Avec un déplacement de 6 820 t, leur port en lourd est de 3 200 t. Comme pour le *Vercors*, la propulsion longitudinale est assurée par un système diesel-électrique d'une puissance totale de 3 800 ch, qui leur assure une vitesse de 15 nœuds en

service normal. Ils possèdent aussi deux propulseurs transversaux de 750 ch. Les équipements de navigation sont également très nombreux et particulièrement adaptés à leurs tâches. Ils disposent de deux cuves principales, de deux cuvelles et d'une cuve de relevage.

Chacun de ces navires peut embarquer quatre vingt-quatorze personnes mais, le plus souvent, soixante-douze suffisent à mener à bien les missions ordinaires. Ils sont, en principe, basés à La Seyne-sur-Mer; tous deux possèdent tous les équipements nécessaires à la pose et à la réparation de tous les types de câbles téléphoniques et surtout ceux à fibre optique. Le *Léon Thévenin*, conçu pour la mise en œuvre de véhicules d'intervention sous-marine (scarab), assure la maintenance en Atlantique, le *Raymond Croze* travaillant plutôt en Méditerranée.

Raymond Croze : ce moderne câblier, construit à La Rochelle-Pallice et en service depuis 1983, est plus spécialement affecté aux poses et réparations de câbles en Méditerranée. Son sister-ship, le *Léon Thévenin* (construit au Havre et mis en service la même année), assure l'essentiel de ses missions en Atlantique.

L'équipage

Les tout premiers câbliers qui étaient souvent des navires de guerre, avaient, dans ce cas, des équipages militaires. Mais à bord des navires civils se sont toujours trouvés des marins de commerce, entretenant une véritable passion pour le métier de *cableman*.

En plus de l'équipage proprement dit, est embarqué pour la durée des missions tout un personnel composé d'ingénieurs et de techniciens des télécommunications, qui ne sont pas inscrits maritimes.

Et sur un câblier, on rencontre un type original de partage des responsabilités, — semblable à ce qui existe à bord des navires scientifiques (cf. *Le Chasse-Marée* n° 57) — en raison de la présence de deux personnes exerçant de grands pouvoirs de décision : le commandant du navire et le chef de mission, dont les rôles pourtant distincts sont très complémentaires et interdépendants.

Le commandant et le chef de mission

L'autorité du commandant s'exerce sur la partie nautique de l'opération de pose ou de relevage du câble; il a les mêmes pouvoirs et obligations que tout capitaine de navire. S'il estime que la sécurité des hommes ou du bâtiment est menacée, le commandant peut refuser d'effectuer des manœuvres jugées trop risquées.

Le chef de mission est soit un ingénieur polytechnicien ayant subi une formation spéciale à l'Ecole supérieure des télécommunications, soit un ingénieur des travaux, soit un inspecteur principal de France-Télécom. Il est assisté de plusieurs collaborateurs, inspecteurs ou techniciens. Ceux-ci, afin d'assurer une veille constante devant une batterie d'appareils de mesure, peuvent être jusqu'à une dizaine.

Le chef de mission est le représentant de l'armement à bord; il est responsable, devant l'ingénieur général, directeur du service, de la bonne exécution de la mission qui lui a été confiée. Son rôle ne se limite pas au seul navire où il se trouve et il peut louer, si besoin est, d'autres bâtiments, des engins de terrassement, et exercer son autorité sur la partie technique d'autres navires engagés dans une même mission.

Dans la pratique, le commandant et le chef de mission travaillent conjointement, et se réunissent souvent afin de décider en commun de la meilleure conduite à tenir. Il peut y avoir des conflits d'autorité entre eux; j'en ai malheureusement connu alors que je naviguais comme lieutenant et comme second, et c'était l'enfer ! En revanche, pour ma part, en quinze ans de commandement, je n'ai entretenu que de bons rapports avec les différents chefs de mission rencontrés.

Officiers et équipage

Le recrutement des officiers et des membres d'équipage des navires câbliers se fait souvent par cooptation. On retrouve ainsi parfois plusieurs membres d'une même famille, un père, des fils, des gendres et amis, qui ont embarqué sur les câbliers à différentes époques. De cette façon, chacun connaît plutôt bien l'autre, avec lequel il faut travailler et savoir compter en toute circonstance.

Avant d'être engagé, le candidat "inconnu" passe un entretien avec le commandant, le chef mécanicien ou le commissaire, procédé qui semble meilleur que la lecture d'un laconique curriculum-vitae. L'impétrant embarque ensuite pour une période d'essai d'un an, comme membre d'équipage "volant", qui conditionnera l'embarquement définitif.

Le câblier est une usine flottante, où l'on travaille jour et nuit. Au cours des opérations effectuées sur un câble, on se repose peu, la tension nerveuse subsistant même pendant les rares instants de sommeil. Malgré soi, on écoute le bruit des machines à câble, les voix des hommes qui sont obligés de crier pour se faire entendre. En raison de l'attention soutenue nécessitée aux commandes de la charrue ou du *scarab*, les officiers se remplacent toutes les heures, 24 heures sur 24. C'est pourquoi sont embarqués, outre le commandant, deux seconds-capitaines, trois lieutenants, pour l'état-major du pont. Les officiers et maîtres-mécaniciens sont, eux aussi, exceptionnellement nombreux car ils manœuvrent les deux machines à câble, en plus de la surveillance du fonctionnement des appareils propulsifs.

La manutention du câble et des divers appareils requiert un maître d'équipage, deux maîtres de manœuvre, trois chefs de bordée et vingt-quatre matelots. Pour certains travaux, la totalité de l'équipage pont est appelée "en haut", et les heures de repas et de sommeil sont alors bouleversées. Par contre, les trajets pour gagner la zone des travaux ou en revenir sont des moments de détente et de loisirs, et avec quatre-vingt-sept inscrits maritimes embarqués, par exemple, sur le *Vercors*, il y a pléthore de personnel pour faire seulement la route.

Les officiers pont doivent non seulement faire preuve de leurs brevets et de leur expérience mais surtout de leurs qualités de manœuvriers. Il est rare, en effet, qu'à bord d'un navire de commerce, un lieutenant ou un second ait l'occasion de manœuvrer le bâtiment, action le plus souvent réservée au commandant et au pilote. Et bien que les câbliers soient tous à propulsion mécanique, leur manœuvre s'apparente à celle d'un voilier en raison de l'importance de leur prise au vent. C'est pourquoi on préfère embarquer dans la mesure du possible des gens qui ont une bonne expérience de la navigation à voile qui est une merveilleuse école, complétant fort bien la formation livresque qu'ils ont reçue.

Pour ce qui concerne les matelots, leur recrutement s'effectue de préférence parmi ceux qui possèdent une solide expérience de la pêche, de nombreux travaux effectués à bord d'un câblier ayant des analogies avec ceux pratiqués sur les chalutiers.

Le recrutement d'un boulanger ou d'un cuisinier est une affaire importante car de la qualité de ses préparations et spécialités va dépendre l'humeur du bord; de plus, on sait que des hommes qui mangent bien sont disposés à travailler avec ardeur. Ainsi, le candidat est-il prié d'exercer ses talents au port, chacun étant invité à goûter les plats ou le pain préparés. La décision dépend des avis de tous ceux qui, sans distinction de grade ni de spécialité, ont participé à la dégustation.

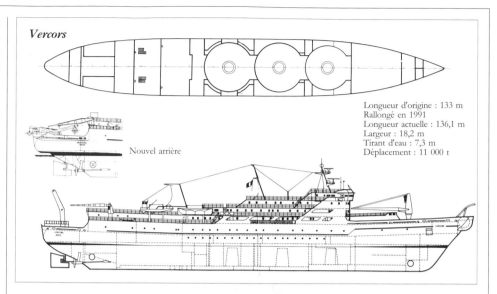

Vercors

Nouvel arrière

Longueur d'origine : 133 m
Rallongé en 1991
Longueur actuelle : 136,1 m
Largeur : 18,2 m
Tirant d'eau : 7,3 m
Déplacement : 11 000 t

Les soudeurs

Il y a, à bord des câbliers, une catégorie particulière de marins : les soudeurs. Inscrits maritimes, choisis parmi les hommes les plus adroits des équipages, ils reçoivent à terre une formation théorique et pratique au cours de laquelle ils apprennent à confectionner le "joint" entre deux sections de câble. Ayant fait preuve de leurs connaissances et de leur dextérité, ils ré-embarquent avec le titre de second-maître soudeur. A bord, leur travail consiste à relier entre eux les conducteurs de câble; avec la grande expansion qu'a prise la fibre optique, les soudeurs ont dû se spécialiser dans des techniques très sophistiquées.

En général, les équipages du *Vercors* sont à majorité bretonne, tandis qu'on trouve plutôt des Provençaux, des Corses et des Pieds-Noirs sur le *Raymond Croze* et le *Léon Thévenin*.

Les câbliers embarquent aussi un médecin et un commissaire; placé sous l'autorité du commandant, ce dernier est un régisseur des PTT, chargé de la solde, de la nourriture et de l'hôtellerie. Bien qu'il ne soit pas inscrit maritime, le commissaire reste affecté sur le navire, même en dehors des campagnes.

Il ne faudrait pas oublier la dernière catégorie de personnes embarquées : les observateurs. Ils ne font pas partie de l'équipage, ni de France-Télécom, mais représentent à bord soit le propriétaire du câble, soit la firme qui l'a fabriqué, leur rôle étant de défendre les intérêts de leur employeur. Souvent de nationalité étrangère, ils se retrouvent parfois à près d'une douzaine.

La passerelle du *Vercors* abrite un équipement sophistiqué pour la manœuvre et la navigation, en particulier des écrans de télévision retransmettant les images filmées au fond de la mer par les caméras fixées sur la charrue d'ensouillage du câble.

La pose du câble

Quand la décision est prise de poser un nouveau câble, on procède à une étude préliminaire sur cartes, afin de déterminer le meilleur tracé à adopter. Divers éléments sont pris en considération tels que le relief sous-marin, la nature du fond (la roche à nu étant à éviter car les arêtes coupantes pourraient entailler le câble), les risques de chalutages, de mouillages de navires, etc.

Puis on confie à un câblier le soin d'explorer, au sondeur et au sonar latéral, la configuration des fonds et les obstacles éventuels sur la route choisie, qui sera modifiée en fonction des découvertes faites au cours de ces travaux. Une fois ces éléments rassemblés, le tracé définitif, qui devra être suivi avec la plus grande précision, est fixé par le bureau d'études.

Le chargement

Un des navires, le plus souvent le *Vercors,* se rend à Calais au poste d'amarrage de l'usine des Câbles de Lyon, pour embarquer le câble dans les cuves. Celles-ci sont d'immenses cales cylindriques au centre desquelles se dresse un *cône,* construit en tubes d'acier. La présence de ce cône est dictée par la nécessité de ne jamais faire prendre au câble une incurvation dont le rayon de courbure soit inférieur à celui qu'il peut admettre sans se détériorer.

Pour que lors de la pose, qui peut s'effectuer à une vitesse proche de 6 nœuds, le câble se débobine sans incident, il est indispensable de le lover soigneusement lors de son embarquement. C'est ce à quoi s'emploient plusieurs membres de l'équipage à l'intérieur des cuves, qui disposent le câble en couches successives, ou *galettes,* aidés parfois par un système mécanique, le *bras loveur.*

A Calais sont également embarqués les *répéteurs* qui sont des sortes d'amplificateurs répartis régulièrement le long du câble. Ils sont rangés dans l'ordre où ils seront posés, dans l'une des trois aires de stockage pouvant contenir cent quarante-quatre appareils, au total. Les répéteurs de fibre optique sont entreposés sous une tente climatisée où la température doit être maintenue à 10°C. Chaque répéteur sera raccordé aux deux sections de câble qu'il doit relier et dont les extrémités sortent de la cuve à cet effet. Après de minutieuses vérifications, le navire gagne le lieu où va débuter la pose.

L'atterrissement

Le fort tirant d'eau du navire lui interdit de trop s'approcher de la plage. Sur place, le commandant prend son mouillage très précisément, en se basant sur des alignements. Pendant ce temps, à l'arrière, des membres d'équipage gonflent des ballons rouges ou gris, d'une soixantaine de centimètres de diamètre. Par ailleurs, une équipe de France-Télécom, étrangère au navire, a installé à terre, en haut de grève, un treuil garni d'une câblette en fil d'acier. Son extrémité est remorquée par une embarcation jusqu'au câblier, et solidement amarrée au bout du câble. Sur un signal radio, le treuil de terre vire la câblette tandis que la machine de pose à pneus, qui va guider le câble, est mise en marche "à la mer". Les ballons sont amar-

A bord du *Vercors,* une des trois cuves de stockage du câble, soigneusement lové lors de son chargement.

L'opération d'atterrissement du câble à fibres optiques TAT9, en juillet 1991 à St-Hilaire-de-Riez (Vendée). Le *Vercors*, mouillé au large, a filé par l'arrière l'extrémité du câble, lequel, soutenu par des ballons, a été remorqué jusqu'au rivage pour être connecté au réseau existant. Quand le câble sera enfoui dans le sable de la plage et reposera sur le fond, le *Vercors* fera route vers l'Amérique. La pose du TAT9 devrait être achevée au cours de l'automne 91.

rés au câble tous les cinq mètres environ avant sa sortie par le davier arrière; en faisant flotter celui-ci, ils lui évitent de frotter sur le fond, ce qui risquerait d'entraîner rapidement la rupture de la câblette.

Sur la plage, à moins qu'une pelle mécanique n'ait déjà fait le travail, une partie de l'équipage entreprend le creusement d'une tranchée, au fond de laquelle sont disposés des rouleaux métalliques. D'autres matelots, à bord de plusieurs embarcations (landing-craft, vedette, youyous et zodiac), maintiennent le chapelet de ballons rectiligne; les orins des ballons sont coupés l'un après l'autre quand la portion de câble qu'ils soutiennent arrive sur les rouleaux. Parvenue à la *chambre de plage*, souvent appelée aussi *guérite*, l'extrémité du câble est raccordée aux lignes terrestres existantes. La tranchée est alors rebouchée et les derniers ballons embarqués. Le câblier est paré à partir en pose et peut virer sa chaîne d'ancre en évitant au cap prévu.

La pose en continu

Avant le "départ en pose", le commandant a distribué les quarts (d'une durée de quatre heures, de jour comme de nuit) entre lui-même, ses deux seconds et ses trois lieutenants. Ainsi y aura-t-il toujours

deux officiers de quart sur la passerelle, dont un très expérimenté. Ces officiers sont assistés de trois maîtres-timoniers, (un par quart), possédant de bonnes notions de navigation et qui assurent le secrétariat de la passerelle : ils portent les positions sur la carte, font la veille radar et, au port, tiennent à jour les documents nautiques. De plus, l'homme de barre est relevé toutes les heures. Le reste de l'équipage-pont, de quart, assume de nombreuses tâches : surveillance du délovage du câble dans la cuve, passage des épissures et des répéteurs, etc. Un officier mécanicien et un maître-mécanicien assurent le quart dans la cabine de commande de la machine de pose arrière. L'ingénieur chef de mission a réparti ses adjoints, par *brigades* (analogues au service par quarts), dans les salles de pose et d'essais.

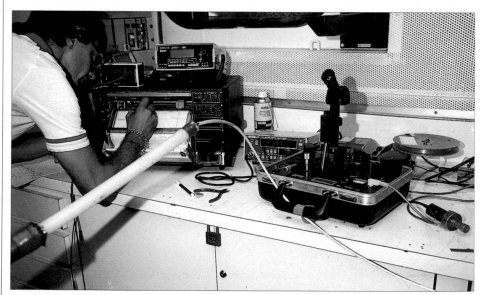

Contrôle du câble à bord du *Vercors* : au cours de la pose, des essais de fiabilité sont effectués en permanence entre le navire et la terre.

La vitesse du navire augmente progressivement et le câble descend à la mer par le davier arrière. Dans la *salle de pose*, le pupitre de conduite est contrôlé à l'aide du système "Espadon", constitué d'un ordinateur qui recueille et traite toutes les données disponibles concernant la navigation et les impératifs du câble, ce qui facilite grandement le déroulement des travaux. Une imprimante édite le *journal de pose*, en temps réel. Dans la *salle d'essais*, un pupitre recueillant toutes les indications nécessaires, un terminal et une imprimante reliés au système sont constamment surveillés par les ingénieurs et les techniciens.

A la passerelle, l'officier et le timonier, en liaison permanente avec la salle de pose, adaptent la navigation et la vitesse au plan de pose étudié préalablement. Ainsi, il arrive qu'au bord du plateau continental, la pente du fond soit si forte que l'on soit contraint de poser "stoppé" afin de dévider tout le mou nécessaire. Alors seulement, le câble s'allonge réellement sur la pente et ne reste pas en suspension entre les petites et les grandes profondeurs, ce qui serait la cause d'une avarie, à plus ou moins brève échéance.

Par ailleurs, le navire doit souvent ralentir sa marche lors de la mise à l'eau des répéteurs.

Parfois la réserve de câble embarqué est insuffisante pour achever la pose, la distance à parcourir étant trop importante pour la capacité de chargement du navire. Dans ce cas, on laisse l'extrémité du câble amarrée à une bouée-câble, ou on la relie à une *queue dragable*, filin de drague qu'on allonge sur le fond dans la direction de la pose. Le navire retourne alors à Calais pour y charger le complément nécessaire, à moins que l'un des deux autres câbliers ne prenne le relais pour terminer la pose.

Une attention soutenue

Au cours de la pose, l'atmosphère du bord est assez tendue; les ordres et des commentaires brefs sont constamment retransmis, à travers tout le navire, par interphones. Le klaxon que commande un des maîtres-pont, à partir de la cuve ou de l'aire de stockage des répéteurs, peut retentir à tout moment pour donner le signal du début de la pose, du ralentissement, ou de l'arrêt d'urgence, selon qu'il sonne une, deux ou trois fois. Une pose n'est jamais brutalement stoppée sauf en cas d'incident grave. Le cas échéant l'officier mécanicien, de sa cabine de commande, freine au maximum le passage du câble entre les pneus de la machine de pose arrière, tandis que, de la passerelle, l'officier de quart "bat en arrière". Les réflexes doivent être instantanés; sinon le câble pourrait se rompre ce qui obligerait à le draguer et à l'épisser, toutes manœuvres entraînant de grosses pertes de temps.

Les interruptions de pose ont généralement pour origine un mauvais délovage du câble. Il arrive en effet que celui-ci, en quittant sa love, forme une coque (boucle) qui, se resserrant sous l'effet de la traction, créerait un défaut. On pallie ce danger en agissant manuellement sur la coque et en répartissant la torsion qui en est la cause sur une bonne longueur de câble. Quand la correction est faite, la pose reprend lentement.

La fin de la pose ressemble au départ, mais les événements se déroulent à l'envers et se terminent par le lancement du deuxième atterrissement. Mais comme il est hasardeux de couper le câble à bord, même à un endroit pourtant bien calculé, on préfère l'envoyer "en double" à terre où il est tronçonné à la bonne mesure; l'excédent est alors aussitôt réembarqué.

Dans la coursive de pose du *Vercors*, le câble sort de la cuve par une écoutille. Guidé par une goulotte, il rejoint une des deux machines à câble situées à l'arrière, après être passé entre deux rangées de roues pneumatiques destinées à le freiner sans l'abîmer. Sur le tambour de la machine passe un *répéteur*.

Avaries et réparations

Les avaries qui surviennent à un câble sous-marin, en particulier les ruptures, ont des origines diverses. Certaines sont naturelles, comme les séismes ou les échouements d'icebergs qui provoquent des écrasements, ou encore, le contact avec les aspérités d'un fond particulièrement irrégulier où le câble est davantage suspendu que posé.

Néanmoins, les avaries les plus fréquentes sont d'origine humaine, leur cause principale étant les chalutages intempestifs dans les zones "câblées", pourtant bien indiquées sur les cartes et interdites à la pêche aux arts traînants. De même, les capitaines qui mouillent leur navire sur ces zones, en dépit des interdictions (sauf cas de force majeure), sont aussi responsables de bien des dommages.

Dès que la liaison téléphonique est interrompue, les ingénieurs et les techniciens mesurent à partir des deux stations terminales les distances qui les séparent du point présentant un défaut. Si, dans le passé, cette localisation a pu être assez imprécise, on arrive aujourd'hui à situer l'avarie à un mille près. Comme les différentes positions du navire, au cours de la pose, ont été scrupuleusement notées, on détermine avec une excellente précision l'endroit où effectuer les travaux.

Selon les disponibilités, un des câbliers est désigné pour accomplir la mission; son commandant fait immédiatement procéder à l'embarquement d'une section de câble du type de celui qui a été endommagé et, éventuellement, d'un répéteur de réserve. Une fois embarqués le chef de mission et plusieurs techniciens, le navire appareille et fait route aussi vite que possible vers la zone des travaux futurs.

Il est bien sûr indispensable de connaître en permanence la position précise du bâtiment, au cours de la réparation. Les navires français sont très bien équipés pour cela (radars, decca, loran, navigateurs par satellites, etc.). Cependant, il arrive qu'en certains points du globe, ces moyens sophistiqués s'avèrent insuffisants. Ainsi, certains satellites ont des passages si espacés (parfois de quatre heures), qu'il faut pallier leur absence momentanée par d'autres procédés. Une des solutions consiste à mouiller, en des endroits exactement définis, deux *bouées-marques* dotées chacune d'un émetteur radio du type Syledis. Un récepteur embarqué sur le navire intègre les signaux émis par les bouées, et détermine des points exacts.

Relevage du câble transatlantique TAT2 à bord du *Léon Thévenin,* le 24 juillet 1990. Après avoir été dragué à l'aide d'un grappin de type *Deniell* (voir encadré), le câble, ayant suffisamment de mou, est remonté en double par le davier avant du navire.

Draguer le câble

Qu'il soit ou non rompu, un câble endommagé doit être remonté à bord pour être réparé. La navigation précise qui a été de règle au cours de la pose, permet de repérer, avec une faible marge d'incertitude, l'endroit du fond où s'étend le câble.

Rendu sur place, le navire suit un cap déterminé en fonction du vent et du courant, pour avancer le plus lentement possible. A un instant donné, on "affale" un lourd grappin, bien lesté de chaîne, frappé au bout d'un long filin de drague qu'on laisse filer. A faible vitesse, le câblier fait route dans une direction sensiblement perpendiculaire à celle que suit le câble. Pour que le grappin ne rebondisse pas sur le fond au risque de lui faire manquer le câble, la vitesse de drague ne doit pas dépasser 1,3 nœuds.

A la fin du filage, le dynamomètre, constamment surveillé, indique une tension généralement comprise entre deux et trois tonnes. Quand le fond est rocheux, cette tension peut brutalement augmenter, pour retomber aussitôt à sa valeur initiale. Mais quand cette tension croit lentement, et que le timonier gouverne avec difficulté, il y a tout lieu de penser que le câble est "croché". On laisse alors monter la tension entre sept et huit tonnes afin de bien "ferrer le poisson", puis on stoppe, sans battre arrière pour ne pas risquer de décrocher le grappin. La machine à câble commence alors à virer le filin de drague dès que la tension est un peu retombée.

L'officier de quart manœuvre de telle sorte que le filin, cordé à gauche, frotte sur la joue bâbord du davier, pour éviter que ne se forment des coques qui entraveraient le lovage dans le puits. Toutefois, quand le filin est en kevlar, un matériau indéformable à la torsion, on ne se préoccupe pas du bord du davier. La situation est parfaitement contrôlée grâce à des caméras, installées au-dessus et de part et d'autre du davier, dont les images sont retransmises sur des écrans installés à la passerelle.

Quand le câble est trop raide pour être aisément remonté à bord, il devient nécessaire de le bosser sous l'étrave puis de le couper, pour faciliter les interventions sur chaque brin obtenu. Cette photo, assez ancienne, a été prise sur un bâtiment aujourd'hui disparu, mais les gestes restent identiques à bord des câbliers actuels.

Le bossage

Si le câble a du mou, on peut espérer le rentrer en double sur la plage avant, où il sera aisé de le bosser, pour le retenir le temps voulu hors de l'eau en fixant de chaque côté du grappin des chaînes dénommées *queues de rat*. Celles-ci sont maillées sur des filins de drague garnis aux tambours des machines à câble. Une fois solidement bossé, le câble défectueux est coupé à la tronçonneuse.

Mais il arrive que le câble soit trop raide pour être ainsi embarqué. Dans ce cas, il faut "affaler" deux membres d'équipage sous les daviers, chacun assis sur une chaise. On leur passe alors les extrémités des queues de rats et chacun de son bord, cramponné au câble, travaille de son mieux pour tourner les chaînes comme il faut, assurant leurs extrémités par des gé-

nopes de sisal (ou *fouets*). Comme cette opération délicate est parfois fort humide à cause du tangage, lorsque l'eau est froide, les hommes revêtent des combinaisons de plongée. Malgré les précautions prises, ces "acrobates", cramponnés à un câble susceptible de se rompre à tout moment, sont souvent en situation périlleuse.

Une fois les matelots remontés à bord, on procède à la coupe du câble. Des essais sont alors effectués sur chacun des deux brins nouvellement obtenus, pour déterminer sur quelle portion se situe le défaut. L'extrémité saine est alors étanchéifiée, ou *boutonnée*, selon le terme technique, pour éviter toute infiltration d'eau; ce brin est ensuite remis à l'eau, en prenant bien sûr la précaution d'en amarrer le bout à une bouée, ou à son point d'ancrage, afin d'être aisément récupérable.

Le câblier peut désormais relever le brin fautif, qui est lové dans des cuvelles de relevage. Si le câble n'est pas rompu, on peut espérer remonter le "défaut" à bord. Dans le cas contraire, il va falloir procéder à une nouvelle drague pour récupérer l'autre portion restée au fond.

L'endroit de la rupture étant maintenant parfaitement localisé sur la carte, cette seconde opération de drague va être menée de la même façon que la première, suffisamment loin du point de rupture pour qu'une fois croché, le câble ne glisse pas pour retomber au fond, et suffisamment près pour qu'il ait assez de souplesse pour pouvoir être remonté en double.

Les épissures

A l'issue de nouveaux tests — on parle plutôt d'*essais,* dans notre métier —, cette seconde portion va être reliée à une longueur de câble neuf, stockée à bord. Les travaux de raccordement des âmes du câble, des conducteurs cylindriques et des isolants, effectués par les soudeurs, vont être contrôlés aux rayons X avant que soit réalisée l'*épissure des armures.* Pendant la confection des épissures, l'officier de quart manœuvre sans arrêt pour maintenir une certaine tension et éviter la formation d'une coque sur le fond.

A l'issue de cette opération longue et délicate, le câble se retrouve très bien protégé sur une dizaine de mètres de longueur, par une double armure métallique, fourrée avec du fil de fer fortement serré à la mailloche. Après la réalisation de cette première épissure, le navire entreprend par le davier avant la pose de la portion de câble neuf, en faisant route vers la bouée-câble posée plus tôt. Il relève celle-ci, pour retrouver l'extrémité du premier brin qui, après d'autres essais, va pouvoir être raccordée à la nouvelle portion.

Deux bosses en filin de drague sont fixées sur chaque brin de câble et reliées à un système de déclenchement tenu par du filin garni sur le tambour d'une des machines à câble. Les deux portions de câble sont donc saisies en patte d'oie par un seul filin, et le navire reste ainsi embossé le temps nécessaire à la confection de la seconde épissure, semblable à la première.

Pour diminuer la tension sur les brins, le navire doit impérativement manœuvrer, tout le temps que dure l'opération de raccordement. Une fois l'épissure achevée, le câble est remis à la mer. Les deux stations terminales qui en sont informées par ra-

Les outils du câblier

Les daviers

La silhouette d'un câblier est caractérisée par ses daviers avant et arrière. A la proue, ce sont de grands réas en fonte d'un diamètre de plus de trois mètres, placés entre de fortes joues en tôle épaisse. Ces daviers tournent librement sur un axe horizontal et permettent d'exécuter les manœuvres des câbles et filins, tout en respectant le rayon de courbure minimum admis par les divers types de câbles. Les navires disposent en général de deux ou trois daviers avant, placés l'un à côté de l'autre. Au-dessus des daviers avant, un portique équipé de palans permet l'embarquement ou la mise à la mer des répéteurs, au cours des réparations.

Le davier arrière sert uniquement à la pose du câble. C'est une goulotte de tôle dont la section à la forme d'un U. Ce davier situé à l'extrême arrière est placé en alignement avec la machine de retenue à pneus, qui freine la pose du câble et des répéteurs.

Les bouées

Afin de matérialiser un point sur la mer, ou de supporter le poids d'un câble en pendant, dans l'eau, le navire utilise des bouées de formes et de poids très variables allant du petit flotteur jusqu'aux grosses bouées d'une portance de cinq tonnes, pour les grands fonds.

Le flotteur biconique (deux cônes opposés par la base) est mouillé, à la main, à partir d'une embarcation. Les bouées plates, appelées souvent *camemberts,* sont les plus utilisées car elles peuvent recevoir le système de localisation Syledis. Construites en matière plastique, elles ont une portance de trois tonnes et sont le plus souvent utilisées comme bouées-marques, c'est-à-dire pour matérialiser une position à la surface. Elles sont gréées en filin. Bien qu'elles aient tendance à tomber en désuétude, on utilise encore d'autres bouées construites en tôle rivetée et gréées en chaîne ainsi que des bouées ogivales à fond plat et des bouées sphéro-coniques d'une portance de trois à cinq tonnes. Toutes ces bouées sont peintes en jaune vif avec des mentions peintes en noir : "Câble", PTT, et numéros affectés à chaque bouée afin de les identifier sans erreur possible.

Filins et ancrages de bouées

Il s'agit de filins mixtes (acier recouvert de chanvre); l'âme de chaque toron est un fil d'acier. Les torons sont câblés à gauche, par trois ou par quatre, pour constituer une aussière. Les aussières sont commises ensemble pour former un grelin de trois aussières. On les désigne comme filin de trois par trois ou de quatre par trois. La longueur d'une pièce de filin de bouée est de cinq cents mètres. Chaque pièce est terminée par une *cosse-maille,* le cordage étant épissé pour former un œil sur la cosse, à travers la maille. Afin de filer la longueur

presque exacte de la touée de la bouée, on dispose, à bord, de "bouts d'appoint" d'une longueur de cinquante ou cent mètres. Ces bouts sont également terminés par des cosse-mailles, aux deux extrémités. Le kevlar de 10mm ayant une résistance à la rupture de 8,1 tonnes a remplacé dans une certaine mesure, depuis 1983, les filins mixtes chanvre/acier, dont on continue néanmoins à utiliser les réserves.

Une chaîne relie l'extrémité inférieure de l'orin à un crapaud (pyramide de fonte) et à un champignon, en fonte également. Exceptionnellement et quand le courant est très violent, il arrive que l'on utilise des ancres à pattes articulées. Des émerillons placés en bout des chaînes pallient, en principe, les torsions des filins mixtes. Le kevlar étant tressé, les émerillons ne sont plus nécessaires.

Les grappins

Afin de pouvoir récupérer le câble et de l'amener en surface en vue de le réparer, le navire est doté de grappins dont les formes ont été étudiées pour pouvoir travailler dans tous les types de fonds.

Celui qui est le plus souvent utilisé est le "Deniell" (du nom de son inventeur). Il est constitué de plusieurs éléments, une dizaine généralement, qui se présentent, chacun, comme une des mailles d'une chaîne, de telle sorte que, quelle que soit la façon dont il tombe sur le fond, il y ait toujours une dent de l'un des éléments, sur deux, en mesure de crocher le câble.

Il existe par ailleurs, d'autres types de grappins tels que le "flat fish", le "Rennie", le "centipède" et le "Lucas", dont certains sont capables de couper le câble d'un côté tout en le retenant de l'autre côté. Cette dernière faculté évite de draguer deux fois, mais elle est considérée comme aléatoire et on préfère quand même effectuer deux dragues, l'une coupante et l'autre relevante, quand le câble a été posé trop raide pour espérer l'amener en surface. Enfin le "Rouillard" permet, grâce à des dents interchangeables, petites, moyennes ou grandes, de fouiller le fond et de crocher le câble même lorsqu'il y est profondément envasé.

Semblables à ceux de bouées, les filins de drague sont plus gros. Les vieux filins mixtes sont, dans ce cas, de six par trois mais on se sert de plus en plus de kevlar de 32 mm dont la résistance à la rupture est de 30 tonnes. Les pièces de filin de drague ont une longueur de 900 mètres.

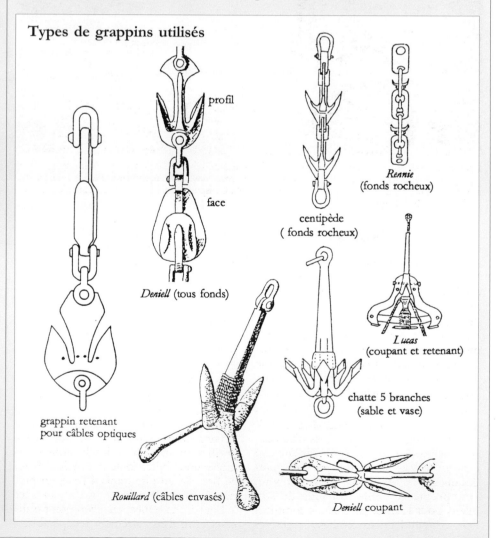

Types de grappins utilisés

profil

face

Deniell (tous fonds)

Rennie (fonds rocheux)

centipède (fonds rocheux)

Lucas (coupant et retenant)

chatte 5 branches (sable et vase)

grappin retenant pour câbles optiques

Rouillard (câbles envasés)

Deniell coupant

Les machines à câble

Ce sont de très gros treuils hydrauliques, au nombre de deux, l'un à bâbord, l'autre à tribord. Ils permettent de virer ou de filer les câbles et les divers types de filins. Les tambours de ces treuils ont un diamètre de 3,6 mètres afin de respecter les rayons de courbure minimum admissibles pour certains câbles.

Chaque machine à câble est équipée d'un dynamomètre qui mesure en permanence la traction (nommée *tension*) exercée sur le câble ou le filin; l'un ou l'autre, en glissant dessus, appuie sur une plaque métallique reliée à un système piézo-électrique. La tension affichée sur un tableau peut dépasser une quinzaine de tonnes.

La charrue

Les causes d'avarie des câbles, de loin les plus fréquentes, sont les panneaux des chaluts. Afin de supprimer ce risque, le câble est enterré à l'aide d'une *charrue* qui l'enfouit à une profondeur pouvant atteindre 1,10 m (*Elise 2*). Cet engin qui a l'apparence d'un traîneau, est remorqué par le navire à l'aide d'un câble d'acier extrêmement résistant (100 tonnes); un soc placé sous la machine ouvre le sillon où vient se déposer le câble, puis la tranchée est refermée par la charrue elle-même. Cet appareil est en outre équipé de trois caméras de télévision, une à l'avant, une au milieu et une à l'arrière. En cours d'enfouissement, le câble sous-marin descend à la mer par le davier arrière. C'est aussi par l'arrière que le câble d'acier de remorque est filé, ainsi que le cordon ombilical qui contient les circuits de télévision, la télécommande des vérins hydrauliques, l'alimentation en électricité, etc. Ce cordon flotte mollement derrière le navire et vient se connecter à l'arrière de la charrue.

On conçoit que la pose, dans ces conditions, doit être effectuée à très faible vitesse, à environ un demi-nœud. A cette allure, le navire est le jouet du courant et du vent, il y a donc lieu de manœuvrer sans arrêt. La conduite du câblier est confiée à un officier assisté d'un second et de deux timoniers, tous les quatre observant les trois écrans de télévision et les nombreux appareils affichant la vitesse, la dérive, la position et tous les paramètres de

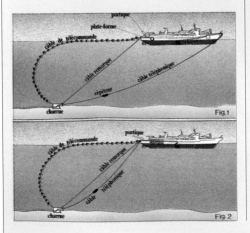

Mise à l'eau de la charrue *Elise,* embarquée sur le *Vercors.* Cette photographie a été prise à l'occasion des premiers essais d'ensouillage de câbles à fibres optiques, en été 1987, peu avant la pose du câble transatlantique TAT8. L'engin ci-dessus, remorqué, peut enfouir le câble téléphonique filé par l'avant du navire à environ 0,60 m de profondeur (fig. 1). Allongé et modifié en 1991, le *Vercors* embarque dorénavant une nouvelle charrue, *Elise 2,* ensouillant le câble à 1,10 m. Le nouveau système permet au navire de filer par l'arrière tous les câbles (téléphonique, remorquage et télécommande), ce qui facilite grandement les manœuvres (fig. 2).

la pose. L'attention nécessaire est telle que les officiers se remplacent toutes les heures aux commandes.

Lorsque des obstacles se présentent devant la charrue, il faut stopper immédiatement et la faire passer par-dessus l'écueil; on imagine aisément la complexité de l'opération ! Le *Vercors* qui est équipé de cette charrue, détient le record mondial de la longueur de câble "ensouillé" (1 125 milles marins). Au-delà d'une profondeur de neuf cents mètres, les câbles ne sont plus ensouillés, car on estime que les chalutiers ne pêchent pas plus profond. Le câble repose alors simplement sur le fond.

Le scarab

Il arrive qu'il soit nécessaire de réparer un câble ensouillé, et pour ce faire, un petit sous-marin "filoguidé", le *scarab* (Submersible craft assisting repair and burial), est embarqué à bord du *Léon Thévenin.* Cet engin peut détecter un câble téléphonique, le couper, l'ensouiller ou le désensouiller, remonter des objets du fond à l'aide d'une ligne de relevage, naviguer en survol automatique de zéro à dix mètres au-dessus du fond, etc. On peut le mettre à l'eau et le hisser sans intervention de plongeur. Il a des bras manipulateurs longs de 1,80 m qui peuvent être équipés de scie, pince, ou mâchoire. C'est grâce à un jet d'eau sous pression qu'il désensouille ou ensouille un câble, dans une tranchée de trente à soixante cm selon le type de sol sous-marin; sa vitesse est de 0,2 nœuds, et il est muni de caméras de télévision d'une portée utile de dix mètres environ.

dio, procèdent à de nouveaux essais. Si tout fonctionne correctement et, après avoir, s'il y a lieu, récupéré ses bouées-marques, le câblier fait route vers le port.

Qu'il s'agisse d'une pose nouvelle ou de réparations, les interventions ne peuvent s'effectuer qu'avec une situation météo acceptable, en particulier des vents inférieurs à force 7 (et même force 4 quand est mis en œuvre l'engin téléguidé scarab, embarqué sur le *Léon Thévenin*). Quand les conditions sont mauvaises, il n'y a d'autre solution que d'attendre leur amélioration, "à l'abri de la bouée".

Tout au long des opérations, il est indispensable de tenir à jour la carte des travaux, tâche incombant aux officiers de quart. Sur cette première carte, innommable gribouillage, sont portées les différentes positions du navire et des bouées qu'il a posées provisoirement. Une seconde carte est soigneusement dessinée, après coup, par le lieutenant chargé de la navigation; y sont indiquées toutes les interventions effectuées (comme les épissures et poses de bouées-câbles) et leurs positions exactes. Cette carte, cosignée par le commandant et le chef de mission, sera expédiée au siège pour la mise à jour des documents.

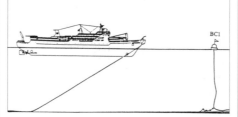

Après la réparation du brin défectueux, le navire pose par l'avant une portion de câble neuf, en faisant route vers la bouée indiquant l'autre extrémité reposant au fond.

Dans les petits fonds

Les liaisons téléphoniques qui relient la côte à des îles proches du continent ou qui traversent un fleuve, nécessitent également des poses de câbles sous-marins et des réparations. Mais en raison de la faible profondeur d'eau, le navire ne peut procéder lui-même à ces travaux; mouillé à proximité, il constitue pour ses embarcations un précieux soutien logistique.

Dès l'aube si possible, répartis par le maître d'équipage, les maîtres de manœuvre, chefs de bordées et matelots prennent place à bord des diverses embarcations. Si le besoin s'en fait sentir, une section de câble neuf est embarquée, bien

lovée, à bord du landing craft. Les communications entre les embarcations et le câblier s'effectueront par radio et le zodiac du bord fera la navette si nécessaire.

Les travaux dureront jusqu'à la nuit, et même plus tard, si à bord du landing les soudeurs doivent terminer leur épissure. L'ambiance est plutôt joyeuse, ça plaisante et ça chante. En été, il est fréquent que les touristes, qui bronzent sur la plage, viennent offrir leur aide pour tirer sur le câble. Le chef de mission et ses adjoints procèdent aux mesures électriques et surveillent l'avancement du travail. Quand la liaison est enfin établie (ou rétablie), le calme revient. Après avoir récupéré son monde et sa flottille, le grand navire appareille vers d'autres missions.

La détente

Les repas sont des moments de détente privilégiés. Dans les carrés, les conversations vont bon train. On évite dans la mesure du possible de parler du travail en cours, de politique ou de religion. Il reste suffisamment de sujets et de potins à traiter... Les langues se délient d'autant mieux que la nourriture est bonne et les vins capiteux; d'ailleurs le menu est largement commenté dès sa parution le matin, vers 9h.

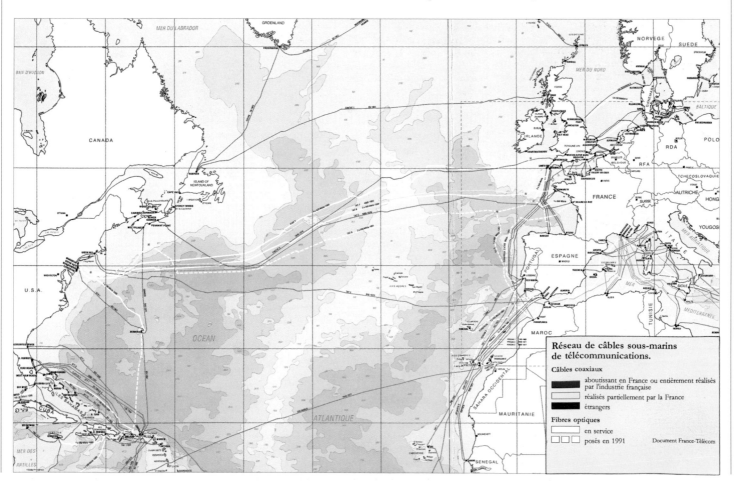

Les différents types de câbles

Les télégraphiques

Constitués d'un fil conducteur en cuivre isolé par de la gutta-percha protégée par une ou deux armures de fils d'acier puis par du jute goudronné, ces câbles ont été définitivement abandonnés vers 1960. Laissés sur place au fond des mers, il arrive d'en remonter de courtes longueurs, quand ils s'avèrent gênants.

Les téléphoniques à quartes

Ces câbles contiennent des groupes de quatre conducteurs nommés quartes, chaque fil étant isolé des autres par du papier; toutes ces quartes sont enfermées dans une gaine étanche de plomb, recouverte elle-même de fils d'acier résistant à la traction longitudinale qui s'exerce sur le câble lors de la pose ou des réparations (c'est l'armure du câble). Les communications se font entre deux conducteurs ou "paire", ce qui permet d'acheminer deux entretiens simultanés par quarte. De telles liaisons ont l'inconvénient de la fragilité et du poids du plomb, et surtout de l'affaiblissement du signal, tout le long de la ligne. Au-delà d'une dizaine de kilomètres, la conversation devient inaudible. En conséquence, ce type de câble ne convient que pour de courtes distances comme pour relier le continent aux îles voisines. Ne pouvant faire tenir dans la gaine de plomb un grand nombre de quartes, en vue de communications nombreuses et à grande distance, on a créé des câbles téléphoniques nouveaux.

Les téléphoniques coaxiaux

Au début des années cinquante, le Centre national d'études de télécommunications a mis au point le câble téléphonique coaxial à armure externe, constitué d'un conducteur en cuivre électrolytique recouvert d'une gaine isolante en polyéthylène, (ou polythène). Sur cet isolant vient s'appliquer le conducteur de retour, fait d'un cylindre de cuivre ou de six bandes câblées en hélice (nommées *strips*). Une deuxième gaine de polythène constitue l'isolant de ce conducteur de retour. Ce "cœur" du câble est recouvert d'une armure faite de fils d'acier de 7mm recouverts de jute goudronné, ou entourés individuellement — on dit *guipés* —de polyvinyle ou de néoprène. Pour la partie posée à proximité de la côte, où les risques d'avarie sont les plus grands, on recouvre cette première armure d'une deuxième et le câble est dit, alors, à double armure.

Puis fut inventé le coaxial "à porteur central" qui, dans des fonds de plus de cinq cents mètres, est sans armure, le conducteur central étant constitué de fils d'un acier à très haute résistance d'un diamètre de 8,38 mm, d'une extrême dureté.

Cette modification a permis d'accroître le diamètre du coaxial et sa capacité en voies téléphoniques, sans changer ses dimensions extérieures et sans modifier les facultés de chargement du navire ni les rayons de courbure minimaux admissibles sur les tambours des treuils de pose et de relevage. Le diamètre extérieur de ce nouveau coaxial est de 25,4 mm (1 pouce anglais) pour les liaisons jusqu'à 500 voies environ et de 38,8 mm (1 pouce et demi anglais) pour une plus grande capacité. (Une "voie" téléphonique permet une communication; un échange par télex nécessite deux voies). Le câble à porteur central est relativement léger et s'immerge donc lentement. Sa résistance à la traction est inférieure à celle des câbles à armure externe.

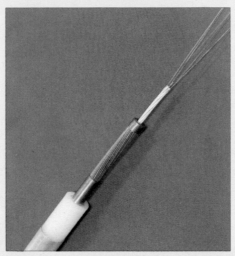

Chaque paire de fibres d'un câble téléphonique optique permet le passage de plusieurs milliers de communications simultanées.

Principe de fonctionnement, les *répéteurs*

Les coaxiaux utilisent la technique de transmission dite par "courants porteurs". Le câble transmet une bande de fréquences d'une certaine largeur qui est découpée en plusieurs voies téléphoniques. Mais les courants téléphoniques de fréquence élevée s'affaiblissent rapidement le long du câble; il est donc nécessaire de les amplifier périodiquement. Des amplificateurs, nommés *répéteurs*, sont logés dans des enveloppes étanches qui furent d'abord flexibles pour pouvoir s'enrouler sur le tambour de la machine à câble (système français), et devinrent rigides (système britannique), ce qui pose des problèmes de manutention car ils ne passent pas sur le tambour de la machine à câble. On a cherché à augmenter le nombre de voies téléphoniques dans un même câble, (ce qui nécessitait une bande de fréquence plus large), soit en augmentant le diamètre du câble, soit en rapprochant les répéteurs. Pour des raisons mécaniques, ce fut cette dernière solution qui dut être adoptée. Les répéteurs espacés d'une vingtaine de milles dans le système à 120 voies du début, furent posés à 4 milles les uns des autres, dans le système à 3 300 voies.

Le câble à fibres optiques

C'est également un câble téléphonique, mais comportant de très nombreuses voies. Ainsi, le câble transatlantique TAT8, posé en 1988, admet quarante mille voies et, dans un avenir proche, ce nombre doit encore être augmenté. Ce type de câble qui est le plus moderne de tous, se substitue aux coaxiaux qu'on ne pose plus mais qu'on continue à réparer jusqu'à épuisement des sections en réserve.

Le câble à fibres optiques possède à l'extérieur une armure et un isolant en polythène, entourant une gaine de cuivre au centre de laquelle se trouve l'âme qui contient les fameuses fibres, entre deux et douze, fines comme des cheveux, baignant dans une pâte hydrofuge. Chaque fibre est un tube capillaire composé de deux types de matériaux naturels ou synthétiques. Elle transmet la lumière le long d'un trajet, même incurvé, suivant le principe de la réflexion interne. Elle possède un cœur central et, en général, une seule couche de revêtement externe (gaine). La gaine est colorée afin de pouvoir identifier chaque fibre. Le diamètre extérieur du tube est de l'ordre du huitième de millimètre.

Les ondes acoustiques de la parole sont codées sous forme d'impulsions lumineuses que l'on envoie dans la fibre optique. L'avantage principal est que le système est insensible aux interférences électromagnétiques, et le raccordement n'entraîne qu'une perte acoustique négligeable. Par ailleurs, l'affaiblissement du signal est bien moindre qu'avec les coaxiaux, en conséquence les répéteurs sont espacés de 40 à 70 kilomètres et on espère même établir des liaisons de 120 à 150 kilomètres, sans répéteur. Les câbles à fibre optique transmettent aussi le télex, la télécopie, la télévision, etc. C'est grâce à la pose d'un câble de ce type reliant le continent à la Corse que les habitants de cette île reçoivent désormais les programmes de la métropole sans passer par la voie hertzienne, c'est-à-dire sans les parasites atmosphériques.

Les câbles d'énergie

Ils sont utilisés pour alimenter en courant électrique les îles proches du continent. Il en existe de deux sortes, les câbles à trois conducteurs pour transport d'énergie en courant triphasé de 16 000 à 30 000 volts et les câbles monopôlaires en courant continu, sous très haute tension de 200 000 volts pour des traversées plus importantes (interconnection France-Angleterre, Sardaigne-Corse-Italie, Vancouver-île de Vancouver). Ces câbles sont constitués par un ou trois conducteurs en cuivre isolés par du papier imprégné d'huile et recouvert d'une gaine de plomb elle-même entourée de polythène. L'ensemble est revêtu d'une armure analogue à celle des autres câbles. Le diamètre extérieur peut atteindre 90 mm (Vancouver) et le poids de ces câbles est très élevé, ce qui provoque des tensions mécaniques particulièrement importantes à la pose et surtout à la réparation.

En dehors du temps consacré au sommeil, les moments de repos sont occupés à lire, à jouer aux cartes ou aux échecs (les tournois sont nombreux), à construire des modèles réduits, à regarder des films vidéo ou, pour les esprits facétieux, à mettre sur pied des plaisanteries dont chacun peut un jour être la victime innocente.

Après chaque opération réussie, sont envoyés au navire de nombreux télégrammes de félicitations immédiatement photocopiés et affichés dans le bord. Cela est bien sûr prétexte à porter quelques toasts... Lors des escales à l'étranger, il est de coutume que soient organisées des réceptions, à la demande des ambassades ou des consulats de France. L'organisation de ces fêtes incombe au commissaire, et cuisiniers, boulangers, maîtres d'hôtel et garçons en sont les acteurs principaux.

Pour accueillir leurs hôtes, les officiers revêtent alors leur uniforme galonné, si rarement porté en dehors de ces occasions. Sauf à parler la langue du pays, les conversations se font en anglais, mais le meilleur des interprètes reste le punch, secret des maîtres d'hôtel, qui participe si

bien aux resserrements des liens d'amitiés historiques avec la nation visitée....

La France en pointe

Bien que la fabrication, la pose et l'entretien des câbles sous-marins soient onéreux, l'investissement en est très rentable. Ainsi, le premier câble coaxial posé en 1956 entre Marseille et Alger a rapporté en deux ans l'équivalent du coût de la fabrication et de l'installation, ce qui correspond à un placement à 50 % de taux d'intérêt. Prévu pour durer quinze ans, il était toujours en activité en 1990.

La Direction des télécommunications sous-marines gère, outre les trois câbliers, huit centres situés sur les côtes de France. Vingt-trois câbles téléphoniques internationaux de grande importance passant sous la mer du Nord, la Manche, l'Atlantique et la Méditerranée, aboutissent à ces centres.

Les avaries entraînent des réparations coûteuses, dont les charges sont supportées par les copropriétaires des câbles, nations ou compagnies privées. Ces entités

participent aux frais au prorata de leur investissement. Ainsi, pour l'Atlantique, un accord global a été conclu entre les propriétaires, l'Atlantic cable maintenance agreement, qui prévoit que la permanence des moyens de réparations est assurée, entre autres, par un câblier français, en l'occurrence le *Léon Thévenin*.

En raison de la haute spécialisation des trois navires, de la rigueur et de la compétence du personnel embarqué et à terre, de l'actualisation permanente d'un matériel hautement sophistiqué, notre nation peut s'enorgueillir d'être parmi les pays les mieux équipés du monde, en matière de télécommunications sous-marines. ■

Remerciements : MM. Dubois et Teisseire, directeur et responsable de service au centre de La Seyne-sur-Mer; Cdt. Van Oudheusden (du *Raymond Croze*); Cdt. Bougeard (du *Vercors*); MM. Levrel, Rolland, de la Direction des travaux sous-marins; M. Jamet, du musée des Télécommunications de Pleumeur-Bodou; M.Brunerie, du Centre de St-Hilaire-de-Riez; M. Bourgoin, commissaire en retraite; M. Postel-Vinay du ctesm de Brest; et toutes les personnes qui à bord ou à terre m'ont apporté leur aimable concours.

Bibliographie : René Salvador : *Les câbles sous-marins en France et dans le monde, des origines à nos jours* (Neptunia n°169); *Câbles sous-marins et navires câbliers* (Cols Bleus n° 2132); James Dugan : *Le grand bateau de fer* (Denoël); Jean Randier : *Histoire de la marine marchande française* (E.M.O.M)

En manœuvre, de nuit, sur le pont du *Vercors*. On distingue bien ici le câble à fibres optiques de couleur blanche qui va être posé.

Le passage du Nord-Ouest

Jean-Pierre Caillé

En 1592, Juan de Fuca laisse entendre qu'il a découvert au Nord-Ouest de l'Amérique un détroit entre le Pacifique et l'Atlantique.
A la fin du XVIIIe siècle, en moins de vingt-cinq ans, des expéditions russes, espagnoles, anglaises, françaises, américaines cherchent à forcer ce mystérieux passage. Mais ils ne découvrent que des fleuves immenses, des mers intérieures et de gigantesques archipels.
Un littoral grandiose qui ne laisse pas d'évoquer la Patagonie. Passionné par les Yaghans qui peuplaient les parages du cap Horn (cf. Le Chasse-Marée n° 42), Jean-Pierre Caillé a voulu connaître les Amérindiens habitant à l'autre extrémité du continent. Leur culture originale et profondément maritime fera l'objet d'un second article.

A la découverte de la côte Nord-Ouest de l'Amérique

Vue de Long Beach, sur la côte Ouest de l'île Vancouver. Les courants de marée dont on voit ici les effets spectaculaires forment de véritables raz qui ont parfois été fatals aux explorateurs.

Du Puget Sound jusqu'à la Baie de Yakutat, la côte Pacifique du Nord-Ouest déploie sur près de 2 000 km ses innombrables archipels étendus entre mer et montagne, reproduisant étrangement, entre le 50e et 60e degré de latitude Nord, le bouleversement insulaire et marin qui caractérise le littoral austral, à la hauteur du cap Horn et des canaux chiliens.

Ici comme là-bas, le rivage est fracturé, éclaté en un semis d'îles que séparent des bras de mer, des chenaux, des canyons profonds et des fjords resserrés, reliquats de vallées glaciaires immergées, dominées par des pentes granitiques qui tombent à pic dans la mer. Entre les îles côtières, une voie maritime reste partout ouverte, à l'abri du versant occidental de la Cordillère qui ne s'entrouvre, en altitude, qu'au niveau de quelques cols rarement accessibles, ou suivant le cours des rivières Stikine, Nass, Skeena et Fraser.

Au Sud, vers l'entrée du détroit de Juan de Fuca, des collines arrondies et boisées adoucissent le paysage. Puis, au fur et à mesure qu'elle progresse vers le Nord, la Cordillère s'élève, pour ne plus former bientôt qu'une seule masse avec les Rocheuses, dont nombre de sommets enneigés culminent à plus de 2 500 m. Au-delà, les deux massifs se séparent et, tandis que les Rocheuses se poursuivent rectilignes dans la même direction, la Cordillère suit le littoral, s'incurve vers le Sud-Ouest, et plonge en mer pour réapparaître au niveau des îles Aléoutiennes.

Cette véritable barrière fait écran aux vents chauds et humides qui soufflent du large, et se répercutent sur les îles, à la morte saison, sous forme de pluies ou d'averses torrentielles (précipitations de 2 000 à 2 500 mm sur les côtes Ouest de Vancouver). Si, grâce au courant marin chaud venu du Japon, le climat reste uniformément tempéré (+4 à 5° en hiver et + 15° en été), mettant le pays à l'abri des conditions subpolaires de l'intérieur, il n'est exempt ni d'orages, ni de tempêtes : celles-ci atteignent, en hiver, une violen-ce extrême. Selon les Instructions nautiques, à vingt milles au large du détroit de Juan de Fuca, des vents de secteur Nord-Ouest soufflent alors dix jours par mois autour de Force 7; un jour sur deux à Force 8, voire 10 ou 11, levant "une mer tourmentée lorsque la houle due au vent se combine avec les grosses houles d'Ouest".

En été, des bancs de brume tenace s'étirent vers la côte, des jours durant, véritables trains de nuages qui suppriment à leur passage toute visibilité. Alors, au centre du pays, les îles de la Reine Charlotte — les "Iles Brumeuses" ainsi que les nomment les marins — se dérobent au regard...

Le mythe du "Passage du Nord-Ouest"

Jusqu'au troisième voyage de Cook (1776-1780), peu de missions avaient eu pour but ces hautes latitudes. Pourtant, depuis la découverte du Labrador par Jean et Sébastien Cabot et celle du Canada par Jacques Cartier, le mythe du "Passage du Nord-Ouest", livrant entre Atlantique Nord et Pacifique un accès au fabuleux trésor de la Chine, avait fait long feu et fasciné nombre de marins et d'explorateurs tels Cavelier de La Salle ou Champlain.

Sur la façade pacifique du continent, Sir Francis Drake repère le cap Flattery en 1579, sans le dépasser. Le pilote grec Juan de Fuca atteint en 1592, au Sud de l'actuelle île de Vancouver, un détroit qu'il situe à une latitude erronée : il "s'enfonça dans le détroit et navigua sans répit pendant plus de vingt jours. Après un goulet exigu, il retrouva un immense plan d'eau et croisa plusieurs îles en cours de route..." C'est du moins ce que raconte le récit mi-historique mi-légendaire qui a donné tant de souci aux grandes puissances maritimes pendant deux cents ans.

Deux siècles plus tard, ces derniers espaces non cartographiés du Nouveau Monde firent l'objet de plusieurs expéditions

Kennedy River sur l'île Vancouver. La côte Nord-Ouest américaine est une des dernières régions de la planète où l'on trouve encore des paysages entièrement sauvages.

internationales dont le but était de forcer le fabuleux passage. Elles rencontrèrent "une côte splendide, d'une beauté indescriptible et représentant sur tous les plans un défi naturel aux marins et explorateurs."

En 1774, Juan Perez effectue les premiers levés cartographiques de l'île Vancouver, et s'aventure plus au Nord jusqu'aux abords des îles de la Reine Charlotte, où il a mission de contrecarrer l'influence russe d'Alaska. Mais il n'ose débarquer, et il faut attendre Cook pour que s'ouvre, en 1776, l'ère des grandes explorations du Nord-Ouest.

Les trois périples de James Cook (1768-1780)

Second des neuf enfants d'un valet de ferme du Yorkshire, Cook adolescent travaille comme novice au chantier naval Walker de Whitby, spécialisé dans la construction de caboteurs charbonniers, puis devient officier de la marine marchande. Engagé dans la Royal Navy comme simple matelot à l'occasion de la guerre de Sept ans, il ne tarde pas à se distinguer par la qualité des cartes qu'il dresse du Saint-Laurent et de l'archipel de Terre-Neuve.

Certes l'*Endeavour* confié à Cook pour son premier voyage (1768-1771) — en tous points semblable aux navires qu'il choisit volontairement plus tard — ne ressemble en rien aux élégantes et légères frégates de l'époque. Ancien charbonnier aux formes pansues, arrondi de l'avant et étroit de l'arrière, il ne mesure que 32 mètres hors-tout et ne cale que 4,5 mètres d'eau en charge pour une jauge de 366 tonneaux; sa construction robuste et son fond plat devaient permettre un échouage sans risque. Prévu pour un équipage de quinze hommes, il est aussi remarquablement lent qu'aisé à manœuvrer, et solide à la mer comme un roc. Sa cale de caboteur se prête aux modifications nécessaires pour recevoir, en plus des quatre-vingt-quatorze hommes de l'expédition, tout le matériel et le ravitaillement qu'impose un périple lointain et de longue durée. La coque badigeonnée d'un mélange de chaux, d'huile de lin et de goudron, reçoit un doublage de planches recouvertes de clous jointifs à tête plate.

A lui seul, le surpeuplement d'un navire d'aussi modestes dimensions crée des conditions de vie difficiles. La grande chambre se transforme en laboratoire bientôt surencombré. Officiers supérieurs et savants ne reçoivent pour logement qu'une cabane à la dimension de leur bannette. Les autres se partagent le pont inférieur et l'équipage — quatre-vingts hommes — occupe vaille que vaille le gaillard d'avant où s'entassent déjà filins, cordages, aussières et espars de rechange. Une odeur pestilentielle monte des fonds et de la sentine jamais complètement asséchée, mêlée au remugle des litières des volailles et des bestiaux entassés.

Faute d'un avitaillement suffisamment renouvelé, la nourriture, comme à bord de tous les long-courriers de l'époque, ne consiste qu'en salaisons de porc et de bœuf alternées avec les fameuses gourganes et les fayots, ces fèves coriaces et brunes de triste réputation dans toutes les marines du monde. Le biscuit de mer, même grouillant de vers, reste toutefois la base de l'alimentation. Effrité et détrempé dans l'eau saumâtre, il fournit l'éternelle "turlutine des marins". Mais, grâce à la consommation chaque jour imposée de jus de citron, de choucroute, de confiture de carottes — ou de vivres frais aux escales —, Cook est le premier explorateur à ne perdre aucun homme du fait du scorbut qui décima tant d'équipages au siècle précédent. Le boujaron de rhum, toujours en honneur dans la marine britannique — l'*Endeavour* en emporte 6 500 litres dans ses cales — vient récompenser les efforts et fêter les succès.

La mission officielle du premier voyage est l'observation du passage de la planète Vénus devant le soleil (3 juin 1769), à Tahiti. Mais le but secret en reste la découverte dans l'Atlantique et le Pacifique sud de la *Terra Incognita* ou *Terra Australis* qui hante les esprits depuis les voyages de Quiros et Torrès en 1605, et de Tasman en 1642. Mais ce n'est qu'au terme de son second voyage poursuivi "aussi près que possible du Pôle Sud" (1772-1775) à bord de deux autres barques de Whitby, la *Resolution* et l'*Adventure,* qu'il apporte la démonstration définitive que, contrairement à ce que Dalrymple avait imaginé, le continent inconnu n'existe pas et que la *Terra Australis* se réduit aux limites de l'Antarctique.

1776-1780 : le dernier voyage

Après trois ans et dix-huit jours d'absence, Cook aborde enfin la mère patrie, le 30 juillet 1775. Promu Capitaine de Vaisseau, et titulaire d'un poste honorifique à l'hôpital de Greenwich, comblé d'honneurs, il pense jouir enfin d'une retraite confortable, lorsqu'il apprend que la *Resolution* est réarmée, en vue d'une nouvelle expédition, dont il brigue aussitôt le commandement. Une fois de plus, les instructions qui lui sont remises pour ce troisième périple (1776-1780) font fi des distances, du temps, et des périls. Il lui est préconisé de reconnaître dans le Sud de l'océan Indien les "Iles Australes" abordées en 1772 par les Français Marion-Dufresne et Crozet, puis celles des Kerguelen où s'était illustré l'amiral breton. Enfin, on lui demande de poursuivre par l'exploration de la côte Pacifique américaine, entre la Nouvelle-Albion et les terres décrites en 1728 et 1741 par Vitus Bering (Alaska, détroit de Bering et îles Aléoutiennes).

La *Resolution* retrouve pratiquement le même équipage, et reçoit comme navire de conserve une nouvelle barque charbonnière de 295 tonneaux construite aux chantiers Walker, la *Discovery,* commandée par Charles Clerke. Un jeune midship, George Vancouver, effectue son premier voyage à bord de ce navire aux côtés d'un autre jeune officier, William Bligh qui, quatorze ans plus tard, connaîtra la célébrité comme commandant de la *Bounty* : abandonné dans un canot par l'équipage mutiné, il parcourra avec les dix-huit matelots restés fidèles les quatre mille milles qui le séparent de Timor, en quarante-sept jours de navigation à l'aviron.

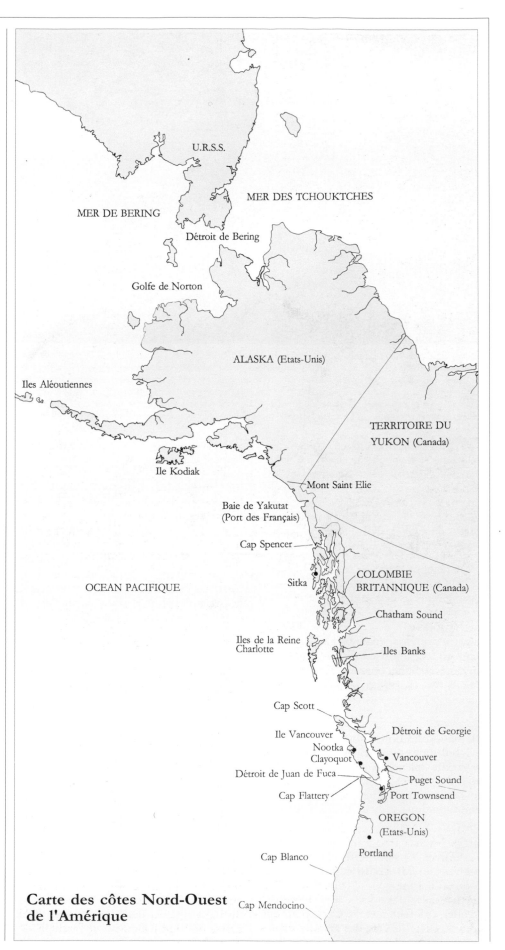

Carte des côtes Nord-Ouest de l'Amérique

Voyage de Cook (1776-1780). *Vue de Ship Cove, Nootka Sound*, 1778. Dessin de John Webber (British library). "Nous avions chaque jour de nouveaux visiteurs, qui venaient généralement dans de grandes embarcations, apparemment d'assez loin. A leur arrivée, ils exécutaient toujours ce qui semblait être un rituel obligé, qui consistait à faire le tour des deux navires en pagayant avec une grande rapidité, leurs pagaies frappant l'eau très régulièrement; un homme se tenant debout au centre avec une lance ou un épieu dans la main, et un masque représentant une figure humaine ou une tête d'animal, répétait tout ce temps quelque chose d'une voix grave. A d'autres moments ils se mettaient tous à chanter; c'était souvent très agréable à entendre. Après cela ils venaient toujours le long du bord et commençaient à troquer sans cérémonie." (Récit de King à Beaglehole, Journal de Cook).

En plus de l'avitaillement habituel, l'expédition est équipée du chronomètre de Harrison-Kendall qui a déjà permis, lors du second voyage, l'établissement d'une longitude exacte. Auparavant, Cook, comme Bougainville, naviguait en utilisant les "tables lunaires de Tobias Mayer" qui imposaient de longs et difficiles calculs.

L'expédition met à la voile le 12 juillet 1776, visite les Iles Australes, passe le jour de Noël à l'île Kerguelen, recherchée en vain en janvier 1773 et décrite comme "absolument nue et désolée". La Tasmanie est atteinte en janvier 1777, puis la Nouvelle-Zélande en février. Les mois suivants sont découvertes les îles Mangaia et Atiu, baptisées archipel de Cook.

Fin janvier 1778, la *Resolution* et la *Discovery* découvrent cinq îles d'un archipel inconnu que Cook nomme les îles Sandwich, du nom du premier Lord de l'amirauté. Il s'étonne d'y retrouver la même langue qu'à Tahiti, soulevant ainsi le premier la question toujours controversée des migrations polynésiennes transpacifiques.

Premiers contacts avec les Amérindiens

Début mars, après un mois de mer et très mauvais temps, la côte américaine est en vue à la hauteur du cap Flattery. Le détroit de Juan de Fuca demeure invisible, caché dans la brume, et la terre entr'aperçue n'est qu'une suite de médiocres collines "plantées de très grands arbres tout droits et couvertes de neige". Le 29, la flotte embouque le détroit de Nootka et est aussitôt environnée de pirogues. L'une d'elles se distingue par une peinture qui représente un œil et un bec d'oiseau d'une énorme grandeur et l'homme qui s'y trouve et a tout l'air d'un chef, n'est pas moins remarquable : un grand nombre de plumes orne sa tête, il est couvert d'extraordinaires peintures et tient un oiseau de bois sculpté grand comme un pigeon. Aux harangues succèdent les chants "dont la douceur mélodieuse était inattendue". Cook lui-même en est séduit, au point qu'il y fait réponse par une sérénade où dominent les fifres, les tambours et les cors. Les Indiens — les seuls parmi tous ceux rencontrés auparavant, note le capitaine King — manifestent à leur tour un vif intérêt pour ces instruments.

Cependant, les avaries constantes de la *Resolution* exigent de multiples réparations. Les fêtes se succèdent, Cook y assiste avec un intérêt toujours renouvelé mais, aux dires de ceux qui le côtoient depuis de nombreuses années, son humeur a changé, sa vigueur légendaire, sa patience et sa gaieté ont fait place à des accès d'abattement et d'irritabilité qui le rendent tour à tour passif ou intolérant. "Les moments de détente ne duraient pas", raconte un midship, et "dès que nous retournions à bord, il redevenait un despote". Cependant, des échanges, "de la plus stricte honnêteté", s'instaurent. Contre du fer sont offertes des peaux d'animaux divers, des vêtements, des armes, des masques en bois, des couvertures tissées, des sculptures, des colliers, mais aussi "des crânes humains et des mains pas encore tout à fait dépouillées de leur chair", qui laissent croire à Cook que les indigènes sont anthropophages.

Les naturels sont plutôts petits, noirauds et sales, de visage plein, "avec de grosses joues, et un nez aplati à la base". Leurs pieds sont difformes, du fait "de leur habitude de se tenir accroupis sur leurs cuisses ou leurs genoux dans leurs embarcations".

Le corps et le visage des femmes sont peints d'un "enduit noir, rouge vif, ou blanc", sur lequel elles répandent des parcelles de mica. Pour les cérémonies, les hommes revêtent des peaux d'animaux décorées et bordées de fourrures. Sur leur visage sont tracées des figures régulières et très variées qui prennent l'aspect de cicatrices en relief, et leur tête est ceinturée de brins d'osier "où se dressent de grandes plumes". Parfois ils arborent "une variété infinie de masques et de loups en bois sculpté, posés sur le visage, le front ou le haut de la tête". En général, ces figures sont plus grandes que nature, peintes, et souvent parsemées de morceaux de mica foliacé qui les rendent scintillantes... Ainsi, conclut Cook, des voyageurs non prévenus eussent pu croire "qu'il existe une race d'êtres qui participe à la fois de la nature humaine et de la nature animale"... Les maisons, où règnent désordre, saleté et puanteur du fait des poissons qu'on y fait sécher, sont décorées d'images en relief qui "ne sont que des faces humaines sculptées dans des troncs d'arbres de quatre ou cinq pieds de haut, dressées isolément ou par paire dans la partie la plus haute de la pièce".

En route vers le Nord

Riche de ces observations — d'autant plus fascinantes qu'elles ont été collectées au cours d'un séjour d'à peine un mois et d'escales limitées à quelques courtes heures —, la *Resolution* et la *Discovery* reprennent leur route vers le Nord. Entre le 12 et le 18 mai, les explorateurs reconnaissent le détroit du Prince William où a lieu une seconde rencontre. Les indigènes montent une pirogue dont "le bordage extérieur était de peaux de veau marin... sur une charpente composée de lattes minces". "Vivante franchise et bonhomie" marquent leur physionomie, mais un plateau inséré dans la lèvre des femmes ou des enfants fait croire à l'existence d'une seconde bouche. Ils sont habillés d'une longue robe de peau avec manches, et, par temps de pluie, si fréquent sous ces latitudes, revêtent un vêtement supplémentaire, tota-

Portrait de Cook peint par Nathaniel Dance Holland en 1776, avant son troisième voyage. (National maritime museum de Londres).

lement imperméable, fait de boyaux de baleine.

Naviguant dans une brume toujours plus dense le long d'une côte fréquentée depuis longtemps par des trappeurs russes, Cook atteint l'Alaska dont les rives s'ouvrent Sud-Est, et, à la hauteur de l'île Kodiak, il prend possession du pays (1er juin 1778). Puis, après une escale de six jours à l'île Oonalaska, les vaisseaux embouquent le détroit de Bering et relâchent sur la pointe Nord de la côte asiatique habitée par des Indiens Tchouktches méfiants, armés d'arcs et de piques, plus proches des Esquimaux que des Indiens d'Amérique. Leur habitation d'hiver, faite d'une

charpente de bois arrondie supportant des côtes de baleine, et surmontée de terre, est à demi enterrée : celle d'été n'est qu'une hutte circulaire de peau, à sommet pointu.

Le 18 août, une "lueur brillante" annonce la banquise qui bientôt barre l'horizon de toutes parts : le point le plus Nord est atteint (70°44' de latitude). Il faut virer. Mais ce n'est que le 26 octobre, après avoir découvert le détroit de Norton et visité les îles Aléoutiennes, que l'ordre est donné de faire cap au Sud. Le 17 janvier 1779, la *Discovery* et sa conserve mouillent en baie de Karakakooa, aux îles Hawaï. Cook est reçu avec une déférence extrême qui le surprend. Il ignore que les naturels l'ont pris pour Lorono, dieu des ancêtres, dont la réincarnation est attendue. A peine débarqué, il est coiffé d'un masque à chevelure de plumes réservé au seul dieu, comblé de dons et d'honneurs. Mais les jours passent et bientôt les indigènes, revenus de leur méprise, changent d'attitude. Le vol d'un canot de la *Discovery* précipite les événements. Cook veut ramener à bord un chef pris en otage, mais il est assailli, jeté à terre et poignardé en même temps que quatre de ses compagnons. Ainsi, le plus audacieux des découvreurs, le plus prestigieux des marins, trouve une mort qui suit de peu son triomphe. Jadis il avait écrit : "J'ai l'ambition d'aller non seulement plus loin que quiconque avant moi, mais aussi loin qu'il est possible à l'homme d'aller".

Vue de l'extérieur d'une habitation à Nootka, 1778, dessinée par John Webber (British library). "Les habitations sont situées tout au bord du rivage. Elles consistent en une longue rangée de constructions dont certaines peuvent faire jusqu'à quarante-cinq mètres de long et sept à neuf mètres de large, pour une hauteur de deux à deux mètres cinquante." (Journal de Cook). Sur la grève, au pied des maisons, différentes pirogues voisinent avec la chaloupe du navire anglais.

Portrait de La Pérouse attribué à J.-B. Greuze. (Musée Toulouse-Lautrec d'Albi).

L'expédition de La Pérouse (1785-1788)

En 1783, le Traité de Versailles met fin à la guerre d'Indépendance des Etats-Unis et rétablit des relations pacifiques entre la France et l'Angleterre, sans pour autant mettre un terme à la compétition scientifique et économique qui règne entre les deux pays. C'est en s'inscrivant dans le contexte d'une paix retrouvée que le roi Louis XVI précise au chef d'escorte Jean-François de Galaup de La Pérouse les objectifs multiples d'un nouveau voyage d'exploration. Outre des observations concernant l'hydrographie, l'astronomie, la physique, la minéralogie, la zoologie et la botanique, l'expédition doit reconnaître les parties du continent américain non visitées par le capitaine Cook : "Chercher... s'il ne se trouverait pas quelque rivière, quelque golfe resserré qui pût ouvrir par les lacs de l'intérieur une communication avec quelque partie de la baie d'Hudson", et ainsi, prospecter, sur le nouveau continent, les intérêts commerciaux et politiques de la France , singulièrement affaiblis depuis la perte de la "Nouvelle France" (Traité de Paris)... Ceci implique l'observation des possessions anglaises et espagnoles de la côte Nord-Ouest, ainsi que l'évaluation de l'activité — notamment dans le commerce de la fourrure — des comptoirs russes entre l'Alaska et les îles Aléoutiennes. En toute occasion "le sieur de La Pérouse (devait) en user avec beaucoup de douceur et d'humanité envers les différents peuples (visités) au cours de son voyage"...

Un état-major de savants se répartit à bord de deux flûtes de près de 500 tonneaux : la *Boussole* commandée par La Pérouse, et *l'Astrolabe* confiée à son ami le capitaine de vaisseau Fleuriot de Langle.

Les deux navires, soigneusement équipés en matériel scientifique et en instruments de navigation (cercle à réflexion, chronomètre), appareillent de Brest le 1er août 1785, et après escales à Madère, Ténérife et à l'île Santa Catarina au Brésil, atteignent, le 1er avril 1786, le cap Horn, étonnamment calme ce jour-là. De sa visite à Concepción au Chili, La Pérouse retire l'impression que l'administration espagnole — limitée aux seules villes, du fait de l'hostilité irréductible des populations indiennes environnantes — ne fait rien pour le développement économique et social du pays. Après l'île de Pâques, il fait voile vers les îles Sandwich où il ne relâche qu'un seul jour, voulant profiter de la belle saison pour gagner au plus tôt la côte américaine; il sait ne pouvoir y disposer que de deux à trois mois, compte tenu de l'ampleur de son programme.

Cette côte est atteinte le 23 juin, face au mont Saint-Elie dont la cime, couverte de "masses de neige... qui répandait une clarté faite pour tromper les yeux", se dégage soudain de la brume. Aussitôt débute un important travail de cartographie à partir du relevé des côtes, des caps et des sommets de l'arrière-pays. Le 2 juillet à midi, le "mont Beau Temps" est relevé et, un peu à son Est, apparaît au-delà d'une passe étroite, une très belle baie que l'*Astrolabe,* dépalée par un violent courant de jusant, ne parvient pas à pénétrer. Après avoir louvoyé toute la nuit le long de la côte, par faible brise d'Ouest-Sud-Ouest, le 3 à six heures du matin, brusquement le vent refuse, et les deux frégates se trouvent en difficulté : tout dessus, voiles faseyantes, elles talonnent, et jusant aidant, se seraient irrémédiablement échouées si elles n'avaient réussi à se déhaler sur des ancres portées aussitôt au large. "Depuis trente ans que je navigue, note La Pérouse, il ne m'est pas arrivé de voir deux vaisseaux aussi près de se perdre."

Le glacier Mendenhall, près de Juneau, à l'Est de Lituya Bay, tel que La Pérouse a pu le découvrir voici deux siècles.

Vue du Port des Français, 1786, par Gaspard Duché de Vancy (Service historique de la Marine/Musée de la Marine). "Le fond de la baie est peut-être le lieu le plus extraordinaire de la terre. Qu'on se représente un bassin d'eau, d'une profondeur incommensurable au milieu, bordé à pic par des montagnes d'une hauteur excessive, couvertes de neige (...) Je n'ai jamais vu un souffle de vent rider la surface de cette eau, qui n'est troublée que par la chute d'énormes morceaux de glace qui se détachent très fréquemment de cinq différents glaciers, et font en tombant un bruit qui résonne au loin dans les montagnes." (Voyage de La Pérouse).

Relâche au Port des Français

Ce n'est que le lendemain, à l'étale, que les deux frégates gagnent un vaste lagon paisible qui "n'avait jamais été aperçu par aucun navigateur" et que La Pérouse baptise "Port des Français" (baie de Lituya).

L'expédition s'installe sur une petite île proche du mouillage, où bientôt surgit un grand nombre d'indigènes. Ils s'annoncent par des "chants assez agréables qui ont beaucoup de rapport avec le plain-chant de nos églises", écrit La Pérouse, qui s'étonne bientôt de leur sens du commerce, et quoique sans illusion, accepte la proposition de leur chef d'acheter l'île sur laquelle s'établit la base.

Les contacts et les observations se multiplient. Les hommes ont pour tout vêtement une cape d'épaule en peau. Leur nez et leurs oreilles sont ornés de parures d'os ou de coquillages. Les visages et les corps sont peints, et les femmes ont la lèvre inférieure fendue, déformée par le port d'un labret. Seuls les chefs arborent "une chemise de peau d'orignal tannée, bordée d'une frange de sabots de daim, et de becs d'oiseaux". Parfois, "ils placent sur leur tête (...) des plumes d'aigle, et enfin des têtes d'ours entières, dans lesquelles ils ont enchâssé une calotte de bois."

Naufrage des chaloupes

La passe d'accès de la baie n'a que trois cent vingt mètres de large. Elle est parcourue, hors de l'étale, par un courant si violent que, la veille, les canots qui en ont exploré les abords, ont cru se perdre. "C'était au fond de cette baie, écrit La Pérouse, que nous espérions trouver des canaux par lesquels nous pourrions pénétrer dans l'intérieur de l'Amérique". Mais il n'y avait là que "montagnes à pic" cernées par cinq glaciers dont le levé détaillé dissipa toute illusion, ainsi qu'il l'exprime laconiquement : "voilà notre chimère, et voici quel en fut le résultat !" Vancouver, quelque cinq ans plus tard,

devait pleinement confirmer ce constat.

Le 13 juillet, afin de compléter par des sondes la carte terrestre de la baie, La Pérouse remet des instructions écrites au responsable de l'opération, le mettant en garde contre la violence du courant et le danger des déferlantes qui jusqu'à l'étale — ce jour-là à 8h30 — en interdit l'accès. A six heures du matin, deux biscayennes et un canot sont mis à l'eau. A 7h15, ils se présentent devant la passe qu'ils ont mission de sonder dans sa largeur, en formation parallèle. C'est aussitôt le drame : l'embarcation de la *Boussole*, emportée vers l'extérieur, se met en travers et chavire. Celle de l'*Astrolabe* veut se porter à son secours et bientôt subit le même sort, entraînant la perte de six officiers et de quinze hommes !

L'analyse de cette catastrophe récemment étudiée par l'ingénieur général Bourgoin montre qu'elle aurait été évitée si les instructions de La Pérouse avaient été respectées : "En se présentant dans la passe une heure et demie avant l'étale de

L'île de Quadra, en Colombie britannique, n'a guère changé depuis l'époque où les explorateurs ont découvert cette région.

basse mer, les biscayennes ont rencontré un courant de quatre nœuds", en un point "où les courants maximum atteignent huit nœuds en morte-eau et douze nœuds en vive-eau". Les tables américaines des courants, les tables de marées du Shom, de même que les Instructions nautiques contemporaines, en font foi. Les Indiens "qui paraissent redouter la passe et ne s'y hasardaient jamais qu'à l'étale de flot ou de jusant, en connaissaient bien le danger mortel."

Après quelques jours d'attente, la *Boussole* et l'*Astrolabe* appareillent et se donnent rendez-vous à Monterey, touché le 14 septembre après une navigation ralentie par la brume, non sans avoir reconnu et baptisé le cap Chirikov, le groupe des îles de la Croyère, non vus par Cook et Bodega y Quadra, et au-delà, neuf îles inconnues qu'il nomme îles Necker.

Le lendemain, La Pérouse visite la mission espagnole de Saint Charles, alors peu connue, qui regroupe sept cent quarante Indiens des deux sexes, logés dans cinquante cabanes en chaume. Il en brosse un tableau navrant où transparaît l'indignation d'un humaniste formé au siècle des Lumières qui croit au "bon sauvage" pacifique et hospitalier; sans doute peut-on y lire aussi la mélancolie et l'amertume ressenties devant le spectacle de l'asservissement : "Hommes et femmes sont

rassemblés au son de la cloche. Un religieux les conduits au travail, à l'église et à tous les exercices (...) Il y a sept heures de travail par jour, deux heures de prière et quatre ou cinq les dimanches et fêtes. Des punitions corporelles sont infligées aux Indiens des deux sexes qui manquent aux exercices de piété (...) et plusieurs péchés sont punis par les fers ou le bloc (...) Si un néophyte baptisé s'échappe, on le fait sommer trois fois de revenir (...) S'il refuse, on envoie des soldats pour l'arracher du milieu de sa famille et le conduire aux missions où il est condamné à recevoir une certaine quantité de coups de fouet..."

Alejandro Malaspina (1789)

Cependant, les prodigieux échos du voyage de Cook, et bientôt de celui de La Pérouse, devaient réveiller une compétition maritime européenne et susciter de nouvelles vocations. C'est ainsi qu'après le traité de paix signé en 1783 avec l'Angleterre, l'Espagne organise à son tour une expédition chargée de la reconnaissance scientifique des côtes Ouest d'Amérique du Sud, et de la région de Mexico. Mais à peine son chef, Alejandro Malaspina, est-il parvenu à Acapulco avec ses deux corvettes, la *Descubierta* et l'*Atrevida*, qu'il reçoit l'ordre d'explorer le détroit d'Anian décrit en 1588 par José Maldonado comme étant le "Passage du Nord-Ouest", et

d'en prendre possession.

Parvenu aux latitudes prescrites, au mont Saint-Elie et à la baie des Français, Malaspina, après deux semaines de vaines recherches, doit reconnaître sa désillusion, ce qu'il fait en baptisant l'endroit "Bahia del Desengaño" (baie de la désillusion), d'autant mieux nommée que plusieurs rencontres locales avec les Indiens manquent de tourner à l'échauffourée.

Quelques semaines plus tard, faisant relâche à Nootka, il reçoit à son bord tous les chefs locaux, y compris Maquinna qui, d'abord méfiant, finit par se rendre à son invitation, et accepte en cadeau du verre à vitre et des voiles pour ses pirogues.

Les deux corvettes sont de retour à Cadix en septembre 1794. Mais les six volumes du journal et les nombreux levés et dessins de l'expédition, ne devaient être connus du public que près d'un siècle plus tard, en 1885. Malaspina, compromis dans un complot politique de la cour, avait en effet été jeté pour huit ans en prison, puis condamné à l'exil.

Premiers voyages commerciaux : Dixon, Portlock et Meares (1785-1787)

En Angleterre, les riches marchands de la Compagnie du Détroit du roi George III organisent, dès 1785, la première expédition commerciale, placée sous le commandement du lieutenant Portlock, ancien officier à bord de la *Discovery,* et du capitaine Dixon. Leurs deux vaisseaux parcourent la côte Ouest — sans réussir leur entrée à Nootka du fait des vents contraires — puis le Prince William Sound, où ils achètent 1 821 peaux d'otaries, et enfin l'Alaska. Dixon baptise l'archipel du nom de son bateau, la *Reine Charlotte,* épouse de George III, et établit la prééminence anglaise sur la côte.

A la même époque, John Meares arme illégalement au Bengale le *Nootka,* promu au cabotage et au commerce des fourrures. Il fait son atterrage au Prince William Sound dangereusement tard en saison et se trouve bientôt cerné par les glaces du dur hiver 1787. Son équipage décimé par le scorbut, sa progression compromise par les nombreuses avaries du bateau, il aurait connu le désastre s'il n'avait été secouru par Portlock, en échange d'une promesse de cesser tout commerce.

Mais l'appât du gain devait être le plus fort. L'année suivante, Meares est de retour, sous pavillon portugais, avec un équipage sous-payé, composé pour moitié de Chinois. Touchant terre à Nootka, il obtient de Maquinna l'autorisation d'y construire une maison et un petit navire, le *Northwest America,* destiné au cabotage local. Plus tard propriétaire de trois bateaux, devenu riche marchand à Canton, Meares signera un accord avec la London Company qui officialise enfin son commerce.

Les expéditions américaines (1788-1796)

La publication du voyage de Cook souleva également l'enthousiasme aux Etats-Unis. En septembre 1788, six marchands de Boston, Salem et New York s'unissent pour équiper une expédition vers les richesses de la côte Nord-Ouest. La frégate *Columbia* de 220 tonneaux et le petit sloop de 90 tonneaux *Washington* (capitaine Kendrick et capitaine Gray) font cap vers Nootka et Clayoquot Sound, puis, cales pleines, gagnent la Chine pour y vendre leur cargaison de peaux. L'année suivante, ils se retrouvent à Clayoquot, y établissent une base fortifiée, et construisent sur place un petit bâtiment de 45 tonneaux, l'*Adventure,* dont la poupe et l'étrave avaient été amenées de Boston et les bordés débités sur place; "un des plus jolis bateaux que j'aie jamais vus", écrivit John Boit, cinquième maître du *Columbia,* qui n'avait que seize ans lors du premier voyage. L'expédition découvre la large baie de Port-Gray, et la rivière Columbia.

Le premier maître du *Columbia,* Joseph Ingraham, rencontre à Canton où il débarque les fourrures du bord, un jeune compatriote qui, à peine de retour à Boston, arme le brick-goélette *Hope,* et lui en confie le commandement. Parti le 16 septembre 1790, il touche Hawaï en mai de l'année suivante et, de là, gagne directement les îles de la Reine Charlotte. Alors qu'il entame à Cloak Bay des tractations infructueuses avec le chef local Haida Cow, son attention est attirée à terre par un détail du paysage : "Deux piliers plantés sur la façade du village (...) de quarante pieds de haut, sculptés de curieuse manière, représentant des hommes et des crapauds (...) et donnant une grande idée du génie naturel de ce peuple."

Fin septembre, Ingraham est à Canton, où le taux des ventes a chuté, et brusquement son journal s'interrompt.

Après le retour triomphal du *Columbia*

Voyage d'Alejandro Malaspina (1789-1794) : *Portrait du chef Nootka Maquinna,* 1791 (Musée naval de Madrid). Dessin de Tomás de Suría. Le havre de Friendly Cove et le village de Yuquot furent le théâtre d'évènements de portée internationale. Il existe bien peu de descriptions du grand chef indien de l'endroit, Maquinna. Lors d'un voyage précédent, Meares le mentionne pour la première fois en 1788 lorsque plusieurs pirogues de guerre entrèrent dans la baie à sa rencontre. "Dans la plupart de ces bateaux, il y avait huit rameurs de chaque côté (...) Le chef occupait une place au centre et se distinguait également par un haut chapeau au sommet pointu. Maquilla *(sic)* semblait avoir à peu près trente ans, il était de stature moyenne, mais très bien fait, et avait une contenance telle que l'on ne pouvait que s'intéresser à lui."

à Boston, le même cinquième maître du bord, John Boit, sollicite et obtient — il avait dix-neuf ans — le commandement du sloop de 65 pieds, l'*Union,* afin de commercer à son tour. Il atteint l'île de Vancouver en avril 1795, cabote un mois le long de sa côte Ouest puis vient mouiller dans les îles de la Reine Charlotte, au point précis où le *Columbia* avait subi une attaque des Indiens. Le même scénario se répète : mille indigènes assaillent le *Hope,* conduits par huit chefs qui sautent à bord. Boit, délivrant son bosco, tue le premier à la baïonnette et retient les sept autres en otages. Mais le lendemain, il les relâche sans punition et paie les peaux offertes en rançon ! Plus tard, à Hawaï, il accorde son pardon, avec la même magnanimité, à un matelot qui tente de déserter, et renonce aux coups de fouet de rigueur, "n'ayant pas le cœur de frapper un pauvre diable illettré (...) un de ces enfants du peuple, venu par malchance dans ce monde provisoire".

Le remarquable travail de Vancouver (1791-1795)

La mission confiée en 1791 au jeune capitaine de vaisseau Vancouver, ancien des deuxième et troisième expéditions de Cook, relève elle aussi d'impératifs multiples, à la fois diplomatiques, scientifiques et économiques. Il s'agit, à la suite de la prise de possession de Nootka par les Espagnols en 1789, d'affirmer les droits de la Couronne (reconnus officiellement par la "Convention de Nootka" signée à Madrid en octobre 1790) et, conjointement, d'effectuer un levé complet de toute la côte du Nord-Ouest américain entre le 30e et le 6e parallèle, en s'attachant particulièrement à la cartographie de toutes les embouchures et rivières, afin de régler définitivement la question toujours controversée du mystérieux "Passage du Nord-Ouest".

Vancouver quitte Falmouth le 1er août 1791, et presque un an après, jour pour jour, ses deux vaisseaux, la *Discovery* et le *Chatham* (lieutenant Broughton), font leur atterrage, par pluie et vent, sur la côte de la Nouvelle Albion, "ligne droite sans coupure, couverte de grands arbres de haute futaie".

Ainsi débute, face au même cap Flattery, qui avait accueilli Cook quatorze ans auparavant, la mission la plus féconde du siècle. Trois années durant, sans retour vers la métropole, elle procède à un levé complet de toute la côte du Nord-Ouest. Nous en rappellerons tout d'abord les

Voyage de Vancouver (1791-1795). *La Discovery sur les rochers à Queen Charlotte's Sound,* 1792. Aquarelle attribuée à Mudge (Dixson library, Sydney). "Nous avions essayé de sonder, entre cent et deux cents pieds, sans parvenir à toucher le fond. A quatre heures et demie, le navire marchant à trois nœuds talonna sur un fond rocheux où il resta échoué. Nous avons immédiatement mouillé l'ancre de touée, sans effet... A cinq heures et demie le courant de jusant vint frapper la voûte avec une force considérable, et comme l'arrière du navire se trouvait en eau profonde, le bateau bascula en relevant la tête d'une hauteur presque égale au marnage. Dans le même temps, nous avons donné de la bande sur tribord, au point que notre porte-haubans s'est retrouvé à quelques pouces de l'eau. Les mâts de hune de réserve ont immédiatement été débarqués pour accorer. Et comme l'eau commençait à envahir la cale, nous avons jeté par-dessus bord une certaine quantité de galets de lest. A deux heures du matin, le bateau flottait sans avoir apparemment subi de dommages." (Journal de Baker). Vancouver admet que le sauvetage de la *Discovery* fut dû à des circonstances vraiment providentielles, "car l'océan était calme et la marée plus haute que d'habitude, ce qui empêcha une inévitable et immédiate destruction"(Voyage de Vancouver).

étapes, dans leur ordre chronologique, en ne retenant du journal du bord que certaines péripéties, et fortunes de mer mémorables, pour revenir ensuite, hors de tous repères du calendrier, sur quelques aspects plus particulièrement ethnologiques du voyage.

Le relevé complet de toute la côte du Nord-Ouest

Cap à l'Est, l'expédition embouque le détroit de Fuca, et poursuit chenal après chenal, île après île, l'exploration méthodique des innombrables passes et archipels qui s'étendent du Puget Sound au Sud, jusqu'aux détroits de Georgia et de Johnston au Nord et au Nord-Ouest. Deux mois plus tard, les opérations sont assez avancées pour que Vancouver décide de les conclure par une prise de pos-

session officielle de "toute la contrée comprise entre la Nouvelle Albion et l'ouvert de l'entrée de l'Océan".

Vers la fin du même mois, le *Chatham* rencontre deux goélettes espagnoles de 50 pieds, *Sutil* et *Mexicana*, commandées par Galiano et Valdés, anciens officiers de Malaspina, envoyés par le vice-roi de Mexico Revillagigedo au détroit de Juan de Fuca, afin d'en explorer la côte continentale, vers le Nord. Les goélettes sont lentes, peu évolutives et souffrent d'avaries subies au large. Il leur est difficile d'accepter la proposition faite par Broughton et Vancouver lui-même, rencontré peu après au mouillage près du cap Grey, de conjoindre les deux flottes et de procéder à une exploration commune. Le 12 juillet, ils se séparent en bons termes, et échangent leurs cartes. Celles de Galiano et Valdés, à qui on doit attribuer la pre-

mière circumnavigation de l'île Vancouver, s'avèrent plus détaillées, et remarquables d'exactitude.

le 6 août vers midi, après avoir louvoyé toute la nuit dans la brume, la *Discovery* se trouve au milieu d'un chenal semé d'écueils, et à quatre heures, talonne brutalement sur une platée et s'échoue. Vancouver se souvient avec angoisse du récit maintes fois entendu de l'échouage de l'*Endeavour* en juin 1770 sur la Grande Barrière corallienne du Nord-Ouest australien, obligeant Cook à deux mois de réparations sur le haut d'une grève déserte. Il se souvient mieux encore du drame vécu aux côtés de Cook, à l'aube du 16 août 1773, à bord de la *Resolution* talonnant violemment face à Tahiti, sur le récif où le portait le courant de flot.

Immédiatement, il ordonne la manœuvre qui jadis sauva Cook d'un naufrage imminent : porter au large une ancre de touée pour la virer au cabestan — hélas, c'est elle qui revient à bord ! Dans la hâte, on allège alors le bâtiment en jetant par-dessus bord lest, barriques d'eau et pon-tée de bois, puis en déposant à plat-pont les vergues et les mâts de hune. Rien n'y fait : il faut épontiller. Le jusant frappe la poupe sur tribord, fait éviter subitement, et donner si fort de la bande du côté des roches que tout semble perdu : "à marée basse, les chaînes de hauban du grand mât se trouvent à trois pouces de la sur-face de la mer (...) le brion ne plonge que de trois pieds et demi tandis que l'arriè-re plonge de quatre brasses", peut-on lire dans le journal, qui poursuit : "notre per-te jusqu'à la fin du jusant nous parut im-médiate et inévitable".

Par chance, la mer est calme. A deux heures du matin, à l'étale de pleine mer, la *Discovery* s'est redressée et après avoir été virée sur l'aussière d'arrière, flotte à nouveau. A midi, elle est remâtée et à trois heures, parée à appareiller.

Le 21 août, les "collines d'une hauteur modérée" du cap Scott sont élongées et le 28, Nootka est atteint. Vancouver y ren-contre le représentant de l'Espagne, Bo-dega y Quadra. La bonne entente règne entre les deux capitaines et Quadra préci-se comment les Espagnols ont découvert la côte en 1774 pour s'y installer officiel-lement en 1775. Mais force est bientôt de constater que les points de vue de leurs deux gouvernements ne peuvent se conci-lier et le 12 octobre, ils se séparent en se donnant rendez-vous à Monterey.

Reconnaissances en canot

Après hivernage aux îles Sandwich, Vancouver retrouve Nootka à la fin du mois de mai 1793, d'où il appareille vers le Nord pour une seconde campagne. Souvent, les corvettes sont délaissées pour de longues reconnaissances à bord des embarcations : ainsi, au-delà du pas-sage entre l'archipel de Pitt et l'île Banks, vers le Chatham Sound, les chaloupes parcourent sept cents milles en vingt-trois jours, et remontent la Boca di Quadra décrite sur les cartes espagnoles. En cours de route, elles côtoient un "îlot rocheux de 250 pieds de haut qui ressemble à un navire sous voiles"; plus loin, Vancouver baptise Anse des Traîtres, une grève où, entouré d'Indiens hostiles dont le chef a le "visage couvert d'un masque ressem-blant à une tête de loup", il use pour la première fois de ses armes.

Quelques jours plus tard, au milieu d'un

groupe indigène monté à bord, se dis-tingue l'étrange figure d'un "homme qui porte un gilet bleu et des culottes de ma-telot (...) Il a de l'aisance surtout dans l'usa-ge de ses poches (...) aime passionnément les cigares (...) donne des renseignements précis sur la route vers l'océan", mais re-fuse l'offre de rejoindre la *Discovery*. Tout laisse à penser qu'il s'agit d'un déserteur.

Du 8 au 20 septembre, alors que les chaloupes sont en mission, s'élève une suite de tempêtes — les vents atteignent force 9 Beaufort — que les vaisseaux éta-lent sans dommage à l'abri (Port Protec-tion). Vancouver consigne ses explora-tions "de façon à ce qu'il n'y ait plus d'incertitude sur l'étendue de l'illusion des prétendues découvertes attribuées à Fuca, de Fonte, de Fonta ou de Fuentes. Il n'existe, écrit-il, aux latitudes indiquées, aucun archipel, aucune rivière, aucun lac ni chute, tels qu'ils ont été décrits dans le récit de Fonte, rapporté par Dalrymple (*Plan for promoting the fur trade*. 1789). A la fin du même mois, la flotte remet à la voi-le, cap au Sud, le long de la côte Ouest des îles Charlotte, passe les îles Scott, et comme l'année précédente, achève son périple à Monterey.

Au cours de la troisième et dernière sai-son, débutée fin mars 1794, Vancouver gagne directement le Nord, touche l'île de la Trinité vue par Cook avec, en son centre, "trois ou quatre montagnes d'une

hauteur considérable", et gagne la "riviè-re" de Cook, surplombée par de courtes grèves couvertes, depuis la laisse de hau-te mer jusqu'à une grande élévation, par des bois touffus que dominent des neiges éternelles. Bientôt, la *Discovery* est entou-rée par les glaces, et une reconnaissance en canot montre que le continent est sans coupure : la soi-disant "rivière" ne va pas plus loin.

La rencontre des Russes

Dans la proximité, de longues masures sordides et puantes abritent depuis 1782 des "factories" russes. Là vivent des co-lons "dans la plus étroite liaison avec les Indiens de toutes les tribus", sur lesquels, note Vancouver, ils "conservent leur em-pire, non par la crainte et à titre de con-quête, mais parce qu'ils ont trouvé le che-min de leur cœur" ! Gîtée sur la grève proche, une embarcation à deux mâts, mal gréée, crache l'étoupe par toutes ses coutures...

Du Prince William Sound, les vaisseaux gagnent Mulgrave. Près du cap Parker, le rivage montre, pour la première fois, des "carrés de terre en culture (...) produisant une plante qui paraissait une sorte de ta-bac".

A la hauteur du Cap Edouard, par temps clair, une vue magnifique s'étend sur le mont Saint Elie "entièrement débarrassé

Friendly Cove, Nootka Sound, 1792, gravure de Harry Humphrys (Pacific Northwest collection, UW li-braries). Les embarcations des navires, propulsées à la voile et à l'aviron, se sont avérées indispen-sables pour explorer et cartographier les côtes inconnues et souvent inaccessibles aux plus grands bateaux.

29

de neige". Les canots effectuent une ultime reconnaissance et à leur retour, à Port Conclusion, "au pied de plusieurs montagnes d'une hauteur prodigieuse (...) formant par leur masse un spectacle d'horreur et de magnificence", Vancouver fait servir aux deux équipages qui se congratulent d'un vaisseau à l'autre, assez de grog pour fêter dans l'allégresse la fin du voyage. Renouvelant le rituel du 2 juin 1792 à la hauteur du cap Scott "au nom de sa Majesté britannique, ses héritiers et ses successeurs", il prend possession du continent "depuis la Nouvelle Georgie dans le Nord-Ouest jusqu'au cap Spencer, comme aussi de toutes les îles adjacentes découvertes dans l'étendue de ces limites". Ainsi s'installe l'hégémonie, sans manières, presque à la sauvette, entre deux verres de rhum, et deux coups de canon !

Les vaisseaux regagnent Nootka, atteint début septembre, juste avant que ne se déchaînent les tempêtes d'équinoxe. Les nouvelles instructions de l'amirauté, nécessaires pour le règlement des litiges de l'année précédente, n'étant toujours pas parvenues malgré six semaines d'attente, ils mettent à la voile, cap au Sud. Ce n'est qu'un an plus tard, à la mi-octobre 1795, qu'ils touchent enfin terre, à Plymouth, mission accomplie.

Le voyage avait duré cinquante quatre mois pendant lesquels les corvettes avaient parcouru 65 000 milles marins, dont 10 000 milles en canot. L'importance du rôle joué par ces modestes embarcations ressort à l'évidence de la lecture du journal : "Je regrettais de plus en plus de ne pas avoir un ou deux bâtiments de 30 ou 40 tonneaux, marchant à l'aviron aussi bien qu'à la voile, pour nous aider dans cette navigation".

Plus touchante est la note de Vancouver relatant, en septembre 1795, la perte de sa grande chaloupe, brisée sous ses yeux lors de la manœuvre de reprise à bord, alors que, naviguant en convoi depuis Sainte-Hélène, il venait de l'envoyer au secours d'une prise hollandaise en train de couler bas. Au pied du bossoir, il écrit ce véritable "requiem pour un canot défunt" : "je ne me rappelle pas d'avoir éprouvé en pareille occasion un chagrin aussi vif (...) quoique ce fût un être inanimé, pour lequel il semble que l'on ne puisse avoir aucune affection. Tous ses services m'inspiraient pourtant une reconnaissance telle que, lorsque je le vis en pièces, je fus frappé d'une impression involontaire si douloureuse qu'il me fallut détourner les yeux pour cacher une faiblesse que j'aurais rougi de laisser voir".

La découverte des cultures amérindiennes

Mais, ainsi que nous l'avons dit, une dimension essentielle manquerait à l'étude de la longue relation de Vancouver si nous ne rapportions ici, même succintement, quelques traits relatifs à ses rencontres avec les indigènes. Celles-ci furent innombrables. Elles se renouvelèrent presque quotidiennement, au cours des trois années de campagne poursuivies à des latitudes sans cesse différentes, auprès de populations éparses que nul navigateur n'avait croisées jusque-là, et dont les réactions demeuraient imprévisibles.

Si remarquables que soient les descriptions de Cook, elles ne concernent que quelques tribus déjà accoutumées aux échanges avec les Blancs, et ne se réfèrent qu'à un séjour bref sur ces côtes, au terme d'une circumnavigation portée aux confins du monde. La fréquentation assidue du seul Nord-Ouest, briqué jusque dans ses détours les plus inhospitaliers, appartient en propre à Vancouver : il en fut le véritable découvreur. Son regard sur les Indiens, empreint d'une curiosité et d'un intérêt constants, ne peut pourtant qu'exprimer des rapports de force où l'inquiétude, le poids des responsabilités, le

Voyage de La Pérouse (1785-1788) : *Vue d'un établissement des habitants du Port des Français pour la saison de la pêche.* Dessin de Blondela, 1786 (Service historique de la Marine). Les poissons qui sèchent sur le portique sont probablement des flétans, étant donné leur taille. Les pagaies des canoës sont rangées contre des broussailles à droite de l'abri principal. La silhouette du canoë est correcte, mais l'absence d'ombre sur la proue crée l'illusion qu'elle n'est pas parallèle à la poupe.

Vue intérieure de la maison de Maquinna à Tahsis, 1792. Gravure de Atanasio Echeverria (H.W.Engstrand). Evoquant les habitations de Nootka, moins luxueuses que celle-ci, Cook parle de "maisons où régnaient un désordre et une puanteur indescriptibles car, se nourrissant de poissons et principalement de sardines, les indigènes les vidaient à même le sol". Il décrit aussi les totems dont on voit ici un exemplaire : "C'étaient des faces humaines sculptées dans des troncs d'arbres de quatre ou cinq pieds de haut, dressées isolément ou par paires dans la partie la plus haute de la pièce."

dépaysement, et la méfiance trouvent leur part. Ceci explique son comportement souvent conflictuel.

Même s'il ne lui est pas possible d'identifier ou de nommer les différentes ethnies croisées jour après jour et, moins encore, d'en préciser les territoires respectifs, il apparaît néanmoins évident qu'il a pris conscience de leurs différences autant que de leur unité profonde. Les portraits diversifiés qu'il en brosse, témoignent d'une observation attentive.

Les premiers portraits

Avant le détroit de Fuca, les indigènes sont "petits et robustes (...) Leurs cheveux longs sont noués au-dessus de la tête ou en touffes sur le front". Au-delà, ils semblent "moins barbouillés, et moins sales sur leur personne que les habitants de Nootka" que Vancouver connaît déjà pour les avoir vus avec Cook quelque quinze ans auparavant. Ils ont les dents limées et sont couverts de tatouages...

Plus au Nord, la race des naturels paraît "plus belle, plus vivace et plus gaie", mais à la hauteur de la Boca di Quadra, une "férocité sauvage se trouvait empreinte sur leur physionomie". A peine plus loin, une "mine féroce" unifie les visages d'une troupe vociférante menée par une vieille mégère "qui portait une parure de lèvre d'une taille énorme", et par leur chef "qui se couvrit le visage d'un masque ressemblant à une tête de loup mêlée de quelques traits humains".

Aux abords de Port Stewart, l'accueil est pacifique et les explorateurs sont salués par le chant mélodieux d'un vieillard debout dans une pirogue en bois. Il harangue les arrivants, et "pendant son discours, tient d'une main une robe d'oiseau, et de l'autre en arrache les plumes et le duvet, qu'à la fin de certaines phrases, il souffle dans les airs". Au droit de la Rivière de Cook, les Indiens montent des embarcations de peaux et sollicitent l'hospitalité. Ils sont "exacts jusqu'au scrupule (...) et se conduisent avec une réserve et

un soin de ne causer aucune incommodité bien propres à prévenir en leur faveur".

Maquinna, chef de Nootka, reçoit par trois fois Vancouver (1792-93-94) à Friendly Cove. Il est somptueusement vêtu "d'un manteau et d'une espèce de tablier court, couvert de coquilles et de petites pièces de cuivre placées de manière à se frapper les unes et les autres et à produire des sons aigus". Lorsqu'il danse, le visage "peint de rouge et de noir (...) les cheveux poudrés ou plutôt couverts du plumage le plus fin des oiseaux de mer", il cache son visage sous divers masques articulés, et en "change fréquemment avec une adresse telle qu'on ne peut saisir le moment où ce changement s'exécute".

Un autre chef qui se qualifie de roi, au cap Seduction, porte sur la tête "une couronne de bois ornée de lames de cuivre poli et brillant, à laquelle tenait un nombre de queues ou de pendants de laines ensemble, chacun terminé par une peau d'hermine".

Des poteaux sculptés extraordinaires

Les villages offrent une grande diversité au regard des navigateurs qui souvent, les voyant à moitié détruits et vides d'occupants, les croient abandonnés. En réalité, ce sont là des habitations temporairement délaissées par les indigènes attirés ailleurs par les impératifs de la saison.

Tantôt il s'agit de grosses bourgades telle Cherlakees qui ne regroupe pas moins de trente-quatre maisons formant des rues. Tantôt des constructions étagées, bâties en pleine pente, ainsi que les a vues James Johnstone à l'entrée du canal de Bute. Tantôt enfin, de véritables citadelles perchées sur une "hauteur environnée de précipices, ou sur un rocher inaccessible" (Port Conclusion).

Les maisons, aux parois de planches, couvertes de bardeaux plus ou moins jointifs, sont parfois "grossièrement faites, avec des interstices bourrés de fougères et de petites branches de pin", comme à Porto de la Trinidad, proche du cap Mendocin, ou, ailleurs, bonnes et bien achevées, plus rarement, luxueuses et ornées comme la demeure de Maquinna. A ce sujet, Vancouver note que Cook n'a fait nulle part mention des immenses pièces de bois placées horizontalement sur des poteaux à environ dix-huit pouces au-dessus du toit, soutenues, à l'intérieur, par un pilier d'environ quinze pieds de circonférence présentant des figures humaines gigantesques. En mai 1793, à Restoration Bay, Vancouver remarque des mâts totémiques qui encadrent des façades, ou occupent leur centre, et décrit leurs sculptures représentant "des figures d'hommes aux contorsions de traits des plus bizarres".

Autour de ce totem, découvert par Malaspina à Port Mulgrave, se trouvaient différents foyers où des corps avaient été brûlés. Gravure de José Cardero (Musée naval de Madrid).

Non moins étranges, mais plus mystérieux encore, lui sont apparus, dès le début de la croisière, les mâts funéraires plantés au bord de l'eau : près de Port Townsend (mai 1792) "deux épieux de quinze pieds portent à leur sommet deux têtes d'hommes fraîchement coupées." Non loin, dix-sept grands mâts, dont certains atteignent cent pieds de haut bordent la grève. Dans la même région, des pirogues suspendues dans les arbres renferment des morts soigneusement enveloppés dans des nattes; ailleurs des paniers contiennent des cadavres d'enfants; sur les grèves du cap Spencer, en avril 1794, deux colonnes de seize pieds de haut et quatre pieds de tour, peintes en blanc supportent de vastes caisses remplies de cendres et de restes calcinés. A leur pied, abandonnée, une vieille pirogue, avec ses pagaies...

Concluant son récit, Vancouver souligne que dans la seule année 1792 le "commerce des fourrures entre la côte Nord-Ouest d'Amérique et la Chine a occupé plus de vingt navires dont il dresse la liste : onze anglais, sept américains, deux portugais et un français, auxquels il faut ajouter nombre de vaisseaux espagnols et russes. A cette même époque, les Espagnols ont effectué treize voyages; les Anglais quarante-six entre 1785 et 1805;

Existe-t-il des Yaghans du Nord-Ouest Américain ?

Quarante ans avant que le trois-mâts barque *La Romanche* ne jette l'ancre pour deux ans au Nord-Ouest du cap Horn en baie d'Orange, pour découvrir la Patagonie et étudier le peuple Yaghan (cf. *Le Chasse-Marée* n°42), cette même baie sauvage et battue des vents avait accueilli la frégate *Vincennes* de 780 tonneaux, accompagnée de cinq autres navires. Cette armada disparate qui, en 1836, était placée sous le commandement du jeune lieutenant de vaisseau Charles Wilkes, représentait la première grande expédition américaine autour du monde.

Après l'exploration par deux des vaisseaux — dont l'un se perdit au retour près du cap Horn — de l'Antarctique proche (Orcades du Sud, Shetland, mer de Weddel), la flotte fit voile vers l'Ouest, et en avril 1841, au terme de son périple, gagna la côte Nord-Ouest du continent américain, entreprenant l'ultime visite d'une région déjà bien connue.

Ainsi aux cinquantièmes de latitude Sud succédaient, dans une étrange symétrie, les cinquantièmes de latitude Nord échelonnés sur la même côte Ouest d'un continent qui séparait le monde en deux.

Sous ces hautes latitudes, la géographie n'est pas sans ressemblance; d'étranges similitudes apparaissent, provoquant au Nord comme au Sud, un vaste entrelacs d'îles, d'estuaires et de golfes, de mers intérieures et de canaux, déployant sur des milliers de kilomètres ces archipels enchevêtrés. Une même barrière enneigée sépare les îles du continent et les enferme dans une même solitude : Montagnes Rocheuses qui tombent abruptement dans la mer au Nord, Cordillère des Andes et Cordillère de Darwin, pénétrées par le seul détroit de Magellan au Sud.

N'était-il pas fascinant d'imaginer que des conditions physiques si proches aient pu engendrer des civilisations similaires : les Yaghans auraient-ils dans le Nord des frères à leur image, comme eux nés de la mer, livrés nus au froid et au vent, vivant comme eux de pêche et de chasse, conservant la mémoire de leur passé dans la seule tradition orale, exprimant leurs peurs et leurs espoirs dans une croyance commune en des génies tutélaires ou hostiles les reliant aux manifestations protéiformes de la nature ?

Sans doute était-il hasardeux de s'embarquer au gré de telles comparaisons : la réponse ne pouvait venir en effet que de ceux qui, à bord de leurs lourds et lents vaisseaux, avaient à travers les âges, pénétré ces "hautes régions solitaires", et aboli la distance qui nous sépare de ces peuples dits "sauvages".

Avant même l'ère de l'ethnographie, une grande partie de ces questions avait déjà, grâce à eux, reçu une réponse.

D'autres "Peuples de la mer" occupaient en effet depuis des millénaires ces confins insulaires et y avaient développé, comme en pays yaghan, une civilisation de caractère maritime : Tlingits, Tsimshian, Haida, Kwakiutl, Nootka... Mais un facteur d'origine climatique, lié à l'influence d'un courant marin chaud venu du Japon a, à lui seul, créé avec le Sud austral de radicales différences.

La succession de saisons tempérées (étés chauds, hivers doux et humides) sur ces rivages privilégiés, demeurés à l'abri des conditions sub-polaires de l'intérieur, a engendré le développement de ressources naturelles exceptionnelles. Une forêt de cèdres et de pins géants, d'une exubérance quasi tropicale, s'y est acclimatée, fournissant aux indigènes un matériau omniprésent. Dans le même temps, les richesses inépuisables d'une mer où toute pêche demeurait miraculeuse, d'un pays giboyeux ouvert à la chasse, d'un sous-bois productif accessible à la cueillette, leur assuraient sans labeur une subsistance sans limites. Une telle abondance ne pouvait que déboucher un jour sur l'apparition de techniques artisanales diverses d'où naîtraient l'échange, le commerce et l'art.

Voyage de Beechey (1825-1828). *Le canot de service du H.M.S. Blossom quittant Point Barrow*, 1826. Aquarelle de William Smyth (Rasmuson library, Université d'Alaska). Point Barrow, atteint le 23 août 1826, était à cette époque "le point le plus au Nord découvert sur le continent américain" (récit de Beechey). Après un accueil hostile des Esquimaux, le canot continua vers le Sud en longeant la côte, passant devant plusieurs villages. A un endroit raconte Beechey, "dix-neuf indigènes vinrent à notre rencontre, armés d'arcs, de flèches et de lances. Alors que nous voulions accoster, ils nous firent signe de ne pas le faire et semblaient bien préparés aux hostilités. Passant outre ces démonstrations, nous nous sommes encore rapprochés du rivage, étant bientôt hors du courant... mais ayant les armes prêtes en cas d'attaque. Arrivés à douze mètres de la plage, nous avons été déventés et avons continué à avancer en touant le long du rivage, les indigènes marchant sur la plage à la même hauteur que nous" (récit de Smyth dans le journal de Beechey).

les Américains quatre-vingt-cinq; et les Français trois. Au début du XIXe siècle, le chiffre total dépasse deux cents : l'exploration cède peu à peu la place au seul commerce.

L'âge d'or des découvreurs, inspiré par la beauté neuve du monde, cède la place au règne de la force, au moment même (1842) où l'apparition de la vapeur et l'invention de l'hélice effacent peu à peu de la mémoire des hommes l'image des hautes mâtures et des poupes à galeries sculptées.

La dernière expédition américaine (1836-1842)

Cependant, en 1838, Charles Wilkes clôture l'ère des grands explorateurs. Avec ses six vaisseaux (gabare, sloop, goélette et petit brick de 32 tonneaux), il effectue une ultime circumnavigation à la voile, par le cap Horn, de près de quatre ans. Celle-ci débute par une tempétueuse reconnaissance de l'Antarctique de huit semaines, complétée, l'année suivante, par une seconde campagne de trois vaisseaux, à partir de Sydney. Plus de mille milles de côtes, du 148e méridien Est jusqu'au 105e, sont hydrographiés, apportant la preuve qu'il s'agit d'un continent unique et non, ainsi qu'on le croit encore, d'une chaîne d'îles. Le 30 janvier, l'*Astrolabe* et la *Zélée* de Dumont d'Urville sont en vue. Au 100e méridien, une barrière de glace, au point même atteint par Cook, masque l'horizon vers l'Ouest...

Après les Fidji et un hivernage aux îles Hawaï, la flottille fait voile vers la rivière Columbia qu'elle trouve défendue par une barre dangereuse. L'un des navires la remonte sur 120 milles jusqu'aux pre-mières chutes, cependant qu'un autre, le *Peacock,* fait naufrage dans le détroit de Juan de Fuca, obligeant Wilkes à revenir à son secours. D'autres incursions sont faites tant dans l'Est et le Sud de la rivière Fraser que dans la rivière Sacramento, au Sud. Pendant ce temps, un détachement explore à pied tout le territoire compris entre ces deux cours d'eau.

Fin octobre 1841, l'expédition reprend le large vers Honolulu, les Philippines, Le Cap et, le 10 juin 1842, fait une entrée triomphale à New York. Bien que de nombreuses difficultés juridiques ternissent au retour l'éclat des exploits accomplis lors de cet ultime voyage, de nouvelles perspectives sont ouvertes. Elles démontrent l'intérêt géographique du Puget Sound, de la baie de San Francisco, et de la moitié de l'Oregon traversé pour la première fois. ∎

Les canots de la

Peut-on imaginer plus poignante évocation de ces embarcations de navires, qui furent les principaux vecteurs de l'exploration des côtes du Nord-Ouest américain à la fin du XVIIIe siècle ? Le destin a hélas voulu que deux bateaux de l'expédition La Pérouse soient les seules victimes de cette grande aventure internationale, et fournissent le sujet de ce magnifique tableau de L.P. Crépin (1772-1851), qui rend un hommage rétrospectif à la mémoire des vingt et un disparus. Si l'œuvre évoque assez bien le paysage grandiose de la Baie des Français, ainsi que les conditions de mer très dures qui, le 13 juillet 1786, provoquèrent le double naufrage dans le grand courant de la passe, si elle rend fidèlement compte de la tentative cou-

découverte

Gregory Foster

rageuse de M. de Marchainville qui se porta au secours de l'embarcation de M. d'Escures, déjà capelée par les lames, avant d'être lui-même englouti, alors que seul le canot de la *Boussole*, commandé par M. Boutin, parvint à se sauver, elle se révèle un peu surprenante sur le plan technique, car seul le petit canot rescapé était du type représenté ici, les deux bateaux perdus étant des biscayennes à cul pointu.

1592 - 1792 - 1992

Deux siècles après le pilote grec Juan de Fuca, une nouvelle vague d'explorateurs allaient tenter, en l'espace de quelques années, de lever le voile de mystère qui recouvrait le dernier littoral inexploré du continent américain. En fait, ce far-west maritime ne convenait nullement aux grands navires à traits carrés des découvreurs du XVIIIe siècle. Confrontés à un dédale de bancs de sable, d'îles et de chenaux balayés par de violents courants de marée, ils durent s'en remettre à leurs embarcations pour pousser leurs reconnaissances : Vancouver accomplit 10 000 milles à la voile et à l'aviron à bord des chaloupes de la Discovery, *et c'est ainsi que les premières cartes de la région furent, pour la plupart, dressées à bord de bateaux non pontés. Gregory Foster a pu retrouver la typologie de cette famille d'embarcations mal connue et reconstituer un par un les plans des bateaux impliqués dans ces expéditions.*

Celles-ci, placées sous le signe du respect des cultures locales, se firent souvent avec l'aide de guides indiens, dans un climat de confiance et d'échanges marqué par "la plus grande honnêteté". Cette attitude n'a cessé de faire honneur au monde maritime, et l'on croit encore entendre sur ces eaux le rythme cadencé de leurs avirons et de leurs pagaies dans des paysages grandioses de sables, de rocs et de forêts.

Pour commémorer ces grands moments et perpétuer le goût de l'aventure, tout en invitant à conserver intact un environnement fabuleux, des Américains et Canadiens ont uni leurs efforts, deux siècles après les grands voyages d'exploration, pour lancer toute une flottille de répliques authentiques dans le sillage des "canots de la découverte". Voici leur expérience.

Le baptême d'un bateau en bois est toujours un instant de grâce, et l'émotion n'a pas manqué lors du lancement de cette réplique de la chaloupe de la *Discovery* — l'embarcation qui permit au capitaine Vancouver d'explorer les côtes de l'île qui devait conserver son nom (voir carte, page de droite, en haut). Ici, le poids de la mémoire, la présence des enfants, la douceur de la lumière d'une soirée de printemps et la forêt verdoyante ajoutent une touche de merveilleux à la scène. En bas, cette autre réplique de chaloupe — espagnole, cette fois — prise dans les glaces et couverte de neige rappelle que le climat de la région a aussi ses rigueurs. Remarquer les motifs décoratifs gravés sur la préceinte.

Avril 1990, détroit de Juan de Fuca, au Sud de l'île Vancouver. Dans le petit port de Sooke, en Colombie britannique, les habitants vaquent à leurs occupations sous une pluie battante fouettée par le vent printanier. Dans un coin du port, une petite foule en liesse soulève deux bateaux flambant neufs à bras d'hommes et les porte à la mer. Il s'agit de deux répliques de chaloupes espagnoles du XVIIIe siècle, mesurant chacune 8,40 mètres de long. Ces belles embarcations, qui gréent trois mâts et bordent dix avirons, ont été construites au lycée de la ville : parents et élèves s'y sont mis d'un même enthousiasme, dans le cadre de la Discovery reenactment society (Association pour la reconstitution des expéditions de découverte).

Deux semaines plus tard, une autre chaloupe espagnole à huit avirons glisse sur la cale de l'association, à Whaler Bay, sur l'île de Galiano, à la grande joie des enfants de la localité. Elle aussi a fière allure avec sa coque fraîchement passée au goudron de pin et ses préceintes soigneusement gravées; une autre réplique déjà à l'eau l'y attend : celle de l'embarcation de la *Discovery* commandée par le capitaine George Vancouver, le marin britannique qui contribua de façon décisive à l'exploration de ce littoral, voici maintenant deux cents ans. Quelques jours plus tôt, une chaloupe anglaise à six avirons a déjà été lancée en grande pompe au port historique d'Esquimalt... tandis que, non loin de là, la Pacific Christian High School de Victoria met en chantier deux autres embarcations de navires à huit avirons qui doivent être bordées à clins.

A Portland, dans l'Orégon, on a aussi lancé trois répliques de ces "canots de la découverte" : l'initiative en revient à l'Oregon historical society qui honore ainsi la mémoire des marins et des modestes embarcations de bord qui ont permis, sous pavillons américain, espagnol et britannique, de cartographier cette partie de l'Etat de Washington et en particulier la Columbia River. Pendant ce temps, sur le Puget Sound, une chaloupe britannique à dix avirons lancée dès 1987 pour la Pure Sound society, une association écologiste, et une gig américaine construite par la Washington State historical society sont sur le point d'effectuer leur centième sortie scolaire. Leur programme éducatif est orienté vers l'histoire et l'environnement, et la navigation se fait entièrement à la voile et à l'aviron.

Dans le sillage des explorateurs

Tous ces projets regroupés sous l'appellation "Bateaux des explorateurs", ainsi que d'autres en cours de réalisation, attestent d'un regain d'intérêt sans précédent dans la région pour l'histoire des découvertes et pour les techniques nautiques utilisées par les premiers navigateurs ayant abordé ces côtes. On ne peut que se réjouir de cette prise de conscience à l'approche du bicentenaire des expéditions de 1792. Dès le printemps prochain commenceront en effet les croisières — ou plutôt randonnées — commémoratives intitulées "Sur les traces des explorateurs". Pendant cinq mois ce sera, pour les quelque dix millions d'habitants de la région, l'occasion de renouer avec leur histoire et de revivre les expéditions britanniques, espagnoles et américaines qui ont permis de mieux connaître les zones côtières de la Colombie britannique, de l'Etat de Washington et de l'Orégon. Ces manifestations commémoreront également les premières et pacifiques rencontres entre navigateurs européens et indigènes américains. En 1792, la plupart des contacts entre les marins britanniques et les Indiens se déroulèrent dans un excellent climat d'amitié, d'honnêteté, d'hospitalité mutuelle et donnèrent lieu à des échanges commerciaux. On ne releva que deux exemples d'hostilité déclarée sans qu'il y eût d'ailleurs recours à la violence.

Ouvertes au grand public plutôt que réservées à une élite, ces manifestations s'articuleront sur divers types d'utilisation

des répliques, depuis des parades d'honneur en région urbaine, des rassemblements de chaloupes, canots, pirogues et canoës de voyage traditionnels, des démonstrations de manœuvre, jusqu'à de véritables expéditions d'aventure, qui emprunteront le trajet d'origine, de l'entrée du Puget Sound au Nord de l'île Vancouver d'une part, et vers le cours de la Columbia d'autre part. C'est le pendant vécu, concret et convivial aux différents séminaires, publications et expositions prévus par les musées dans le cadre du bicentenaire.

Le gouvernement de Colombie britannique a accepté de financer l'événement, ce qui a encore renforcé l'intérêt du public pour ce programme commémoratif, et toutes les autorités locales ont prévu de participer chacune à sa mesure. Le clou du programme aura lieu en 1993, lors de la rencontre à Bella Coola entre les randonneurs nautiques et les marcheurs qui auront réédité l'exploit d'Alexandre Mackenzie qui, en 1793, traversa l'Amérique du Nord à pied, définissant ainsi pour la première fois les limites géographiques, terrestres et maritimes, de la future nation canadienne.

Depuis 1987, la Discovery reenactment society n'a cessé d'aider les travaux de recherche, les missions de prospection et de formation, et de superviser les chantiers de construction, aussi bien dans les musées que dans les écoles. Au départ, l'association avait envisagé de rassembler une dizaine de bateaux pour chaque étape. Mais à ce jour, on compte déjà plus de vingt répliques terminées ou en cours de construction; de nombreuses autres sont en projet.

Canal de Salamanca. L'équipage d'un canot espagnol rencontre une flottille de pirogues indiennes; un patrimoine autochtone qui fera l'objet d'un prochain article. Lavis de José Cardero, 1792.

Une famille d'embarcations mal connue

A quoi ressemblaient donc ces humbles unités à bord desquelles tant d'efforts furent déployés pour découvrir le fameux "passage du Nord-Ouest" ? Les archives des différentes marines et les anciens ouvrages d'architecture navale ont conservé des plans de formes ainsi que de précieux dessins concernant les expéditions elles-mêmes. Ces sources sont inestimables et encore insuffisamment étudiées car, vers la fin du XVIIIe siècle, l'architecture des embarcations de bord avait atteint un équilibre remarquable entre performances, fonctionnalité et esthétique. Ces canots embarqués devaient avant tout être fort robustes : tantôt on les envoyait en exploration pour reconnaître, sonder et cartographier des portions de côte inaccessibles aux grands bâtiments, tantôt ils devaient charger et décharger marchandises et passagers ou assurer les liaisons entre navires; on pouvait aussi les envoyer mouiller ou relever une ancre, remorquer un navire par calme plat, ramener une drôme de mâtures ou de futailles. En cas de danger, ils pouvaient bien sûr faire office de bateaux de sauvetage. Souvent, c'était aux canots de partir chercher des subsistances et du bois à feu, de pêcher à la senne, de chasser, ou de mener des actions militaires. Parfois, ils servaient même de citerne flottante et de bateau-lavoir !

Certaines de ces embarcations étaient destinées à un usage spécialisé, d'autres étaient des canots de service à tout faire. Sur les navires anglais, les plus grandes étaient les *launches,* équivalents des *cha-*

Nul mieux que Pierre Ozanne n'a su rendre compte de l'utilisation quotidienne des embarcations, à la mer ou, comme ici, en rade. Deux canots se croisent à proximité d'un vaisseau au mouillage. Celui de droite, qui transporte un officier général, est gréé de son tendelet, dont les rideaux sont alors réglementairement de serge rouge (verte pour les autres). On a hissé le pavillon — ou "guidon" — de commandement sur un mâtereau à l'avant. On fait lève-rames. A gauche, un autre canot qui arbore une "cornette" au mât de misaine et transporte un officier de grade inférieur, a mâté ses avirons en guise de salut.

loupes des navires français; très solidement construites, elles étaient généralement dotées d'un large tableau et équipées de guindeaux à barres d'anspect et d'un fort davier arrière permettant de mouiller et de relever les plus lourdes ancres.

Les *pinnaces,* homologues des *canots* de taille moyenne des bâtiments français, occupaient dans la marine britannique une place intermédiaire entre les *barges* et les *yawls,* autres types de canots d'état-major ; de construction plus raffinée, elles étaient souvent réservées aux cérémonies offi-

cielles et à l'usage personnel du capitaine. Plus étroits, dotés de fonds en V avec un retour de galbord qui, combiné à un joli tableau en cœur ou en écusson, définissait des formes arrière très élégantes, ces canots étaient souvent équipés avec raffinement de tapis de chambre et de tendelets démontables avec rideaux de serge. C'est dans cette "chambre", juste en avant du banc destiné à l'homme de barre, que les invités du capitaine prenaient place sur des coussins; des mâts de pavillon pouvaient être emplantés à l'avant et à l'arrière; la tête de gouvernail était souvent décorée par un écusson sculpté amovible. Ces jolis bateaux devaient également avoir d'excellentes qualités de marche, surtout à l'aviron, leurs performances sous voiles étant considérées comme plus secondaires.

Les *cutters* trouvent, semble-t-il, leur origine dans les bateaux de construction légère utilisés par les contrebandiers à la fin du XVIIIe siècle pour traverser la Manche en fraude. La plupart des cutters britanniques ou américains, qui ressemblaient aux yoles de Deal, étaient bordés à clin avec des portières dans les fargues formant dames de nage (au lieu de tolets). La coque avait un fond relativement plat, peu de creux et de tonture. Comme les canots, ils avaient un tableau étroit et leur quille présentait parfois un peu de "ventre". Introduits tardivement dans la Royal Navy, les cutters ne tardèrent pas à s'imposer grâce à leur polyvalence et à leur poids relativement faible.

Un grand canot, ou une petite chaloupe, vient d'aborder une grève. L'embarcation a navigué à l'aviron, grand mât en bas; la misaine est carguée, mais le tapecul à livarde est bordé sur sa queue-de-malet. Un homme saute à terre en s'aidant d'une perche pour éviter de se mouiller. En haut de la grève à gauche, quelques matelots ont déjà dressé la tente traditionnelle des marins en expédition côtière (une voile sur trois avirons dont deux, plus courts, sont disposés en croix).

Les embarcations pouvaient également porter d'autres noms, de signification plus générale : *longboat, jollyboat, wherry* et *skiff*. Le jollyboat était en général le plus petit des bateaux embarqués à bord d'un navire. Ses formes étaient identiques à celles des cutters, ou même des launches, alors que le wherry était à l'origine un type spécifique. Le terme de longboat est un mot ancien désignant globalement une famille de bateaux intermédiaire qui se situerait, par comparaison, entre les chaloupes et les canots de navires français (ceux-ci devront bien entendu faire l'objet d'une étude particulière).

Mais en vérité, plus on étudie les embarcations de service de l'époque, plus on s'aperçoit qu'il est illusoire de vouloir imposer une typologie précise, d'autant que plusieurs nations sont concernées par ces explorations. La tâche n'est pas non plus facilitée par les différents auteurs qui, à l'image des marins du temps, utilisent parfois des noms différents pour parler du même bateau.

Le capitaine Vancouver appelait ainsi son bateau d'exploration personnel "the yawl", et il lui rend d'ailleurs un ardent hommage dans les termes suivants : "Le yawl était mon bateau de service; j'ai parcouru bien des milles à son bord et échappé grâce à lui à de nombreux dangers; il m'a toujours permis de rentrer au navire sain et sauf." Or, les autres officiers de l'expédition appelaient ce bateau "the pinnace" (le canot), tandis que John Vancouver, frère du capitaine, qui publia ultérieurement son journal de bord, l'appelait le "cutter" ! Cela montre bien que, même pour les marins qui utilisaient quotidiennement ces bateaux, les noms qu'ils leur donnaient dépendaient beaucoup plus d'usages régionaux ou même personnels

Reconstitution du plan de formes du *yawl* du Capitaine Vancouver.
Longueur : 25. 2 pieds
Largeur : 6. 8
Creux : 2. 10

▼

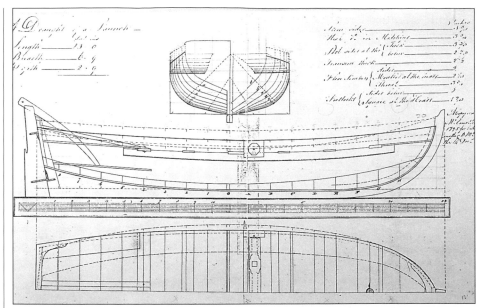

Petite chaloupe (*launch*) de 23 pieds du modèle standard en usage dans la Royal Navy vers 1790; l'embarcation de la *Bounty,* rendue célèbre par son odyssée, était très probablement de ce type. Remarquer le davier arrière, le guindeau central et l'absence de retour de galbord.

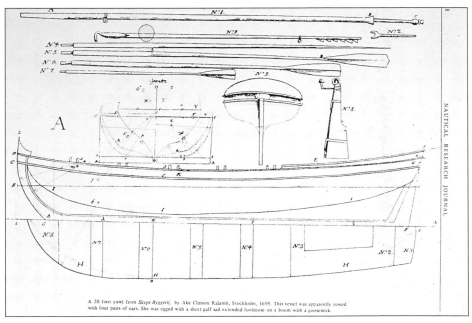

Petit canot *(yawl)* de 20 pieds de la marine danoise à la fin du XVIIᵉ siècle, d'après l'ouvrage suédois *Skeppsbyggerij,* de A.C. Ralamb (1695). Contrairement à l'habitude, cette embarcation semble avoir été gréée en sloup (à corne très courte).

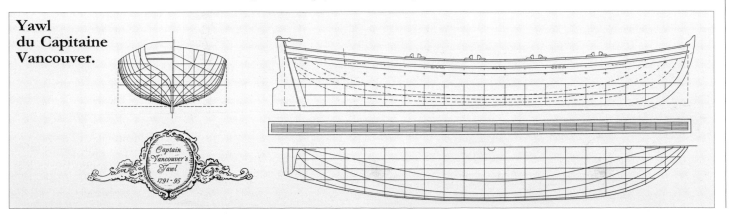

Yawl
du Capitaine
Vancouver.

Une des répliques de chaloupes espagnoles en fin de construction; on se prépare à poser les dernières virures, maintenues en place pendant le rivetage par de forts cannaps. Remarquer les échantillonnages massifs pour un bateau à clins, et l'usage de membrures chantournées.

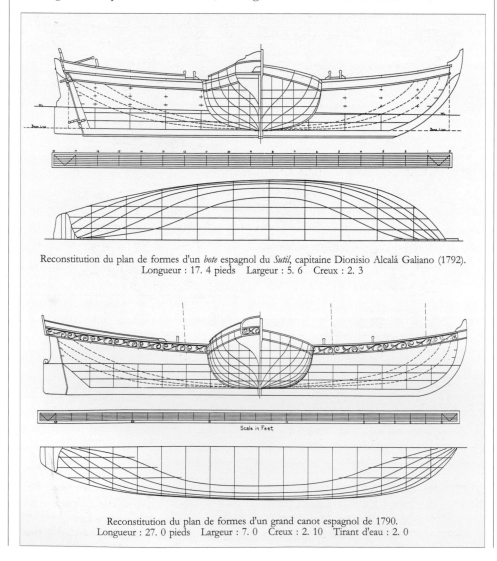

Reconstitution du plan de formes d'un *bote* espagnol du *Sutil*, capitaine Dionisio Alcalá Galiano (1792).
Longueur : 17. 4 pieds   Largeur : 5. 6   Creux : 2. 3

Scale in Feet

Reconstitution du plan de formes d'un grand canot espagnol de 1790.
Longueur : 27. 0 pieds   Largeur : 7. 0   Creux : 2. 10   Tirant d'eau : 2. 0

que d'une nomenclature administrative.

Néanmoins, on trouve la preuve évidente d'une normalisation dans les noms et les types des embarcations à partir de la deuxième moitié du XVIIIe siècle. Le magnifique recueil de plans publié par Fredrik Henrik af Chapman à Stockholm en 1768 et intitulé *Architectura navalis Mercatoria* contient de nombreux exemples de chaloupes, longboats, canots, yoles et autres barges, confirmant cette tendance à la normalisation dans une certaine fourchette de longueur.

Dans le domaine français, les documents les plus anciens ont été publiés dans les *Souvenirs de marine* (1871) du vice-amiral Pâris; l'ouvrage présente deux séries de chaloupes et canots normalisés des dernières années du XVIIe siècle en six tailles différentes. Tous gréent deux mâts, indépendamment de leur importance. Pâris décrit également de grands canots de 8 à 12 mètres de long et d'autres plus petits de 6 à 9 mètres. Il détaille ailleurs une chaloupe de 1768 portant 22 avirons sur des tolets simples et un canot de 9 mètres qui peut être considéré comme l'équivalent d'un "longboat-pinnace".

Des sources britanniques, espagnoles et américaines confirment elles aussi cette volonté de normalisation. Il est fort probable que le capitaine Bligh et ses dix-huit fidèles, rescapés de la mutinerie de la *Bounty,* ont accompli leur fantastique odyssée de 3 600 milles à bord d'une chaloupe de sept mètres d'un modèle standard à l'époque.

La construction

Les tables d'échantillonnages relevées par David Steele en 1801 donnent une bonne idée de la force qu'on pouvait attendre à l'époque de la charpente des embarcations de navires. Il donne par exemple les mensurations détaillées de cinq longboats de différentes longueurs, de quatre launches, d'une barge, de trois pinnaces, de quatre cutters, de deux yoles et d'un wherry. Si l'on considère les échantillonnages de la launch de 7,30 m qui n'est qu'une petite chaloupe, on est vraiment impressionné par sa quille de 14 cm de large, ses membrures de 5 x 8 cm, ses bordés de 2,5 cm d'épaisseur, son tableau et ses courbes de 4 cm d'épaisseur.

On voit d'emblée que ces bateaux étaient très fortement construits si l'on se réfère aux échantillonnages pratiqués aujourd'hui. Leur utilisation dans des conditions presque toujours difficiles et le besoin impératif d'une bonne longévité interdi-

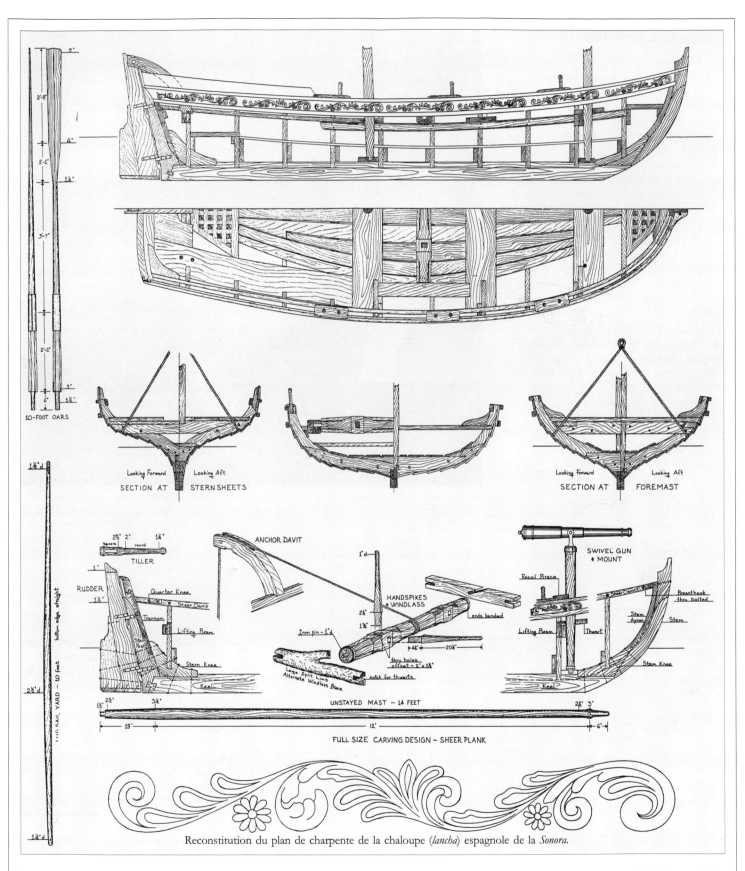

Reconstitution du plan de charpente de la chaloupe (*lancha*) espagnole de la *Sonora*.

saient tout compromis quant à leur robustesse.

De nombreux documents d'époque montrent que même les plus petites de ces embarcations étaient construites sur membrures sciées. Les gigs et les baleinières ultra-légères à membrures ployées qui pratiquaient la chasse à la baleine ou servaient d'annexes aux clippers du XIXe siècle relèvent d'une autre catégorie de ba-teaux où vitesse et maniabilité ont bien plus d'importance, débouchant sur un concept architectural tout à fait différent, dont se rapprochaient d'ailleurs les bis-cayennes utilisées par La Pérouse.

Une grande variété de gréements

Les nombreux types de gréement utilisés par ces embarcations au temps des explorations avaient en commun certains traits : voilure divisée, mâts et espars facilement amovibles, non haubanés, et utilisation peu fréquente des bômes. Leur manœuvre nécessitait des équipages relativement nombreux. Ces caractéristiques se retrouvent dans des familles de voiles très différentes, au tiers, latines, à livarde, à corne, carrées, "pointues" ou houari.

Les voiles au tiers ou à bourcet, amurées en pied de mât ou "sur le bord", étaient les plus répandues, sans doute en raison de leurs meilleures performances aux différentes allures; elles étaient aussi très faciles à manier dans des bateaux encombrés, la voile, transfilée sur une vergue assez courte, étant indépendante du mât, ce qui facilitait leur rangement en drôme. Bien évidemment, c'était le capitaine qui décidait du type de gréement convenant à son bateau selon les circonstances. Dans certains cas, c'était l'officier responsable de l'expédition qui prenait la décision.

Cette tendance à la disparité peut être constatée sur toutes les embarcations des navires d'exploration. La division de voi-

Bordure libre, surface modérée, mobilité, simplicité de gréement : des avantages décisifs pour la voile au tiers !

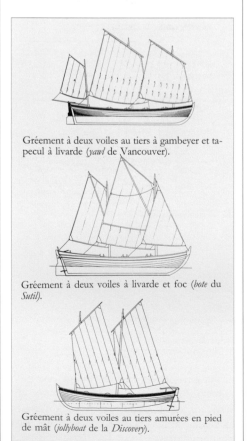

Gréement à deux voiles au tiers à gambeyer et tapecul à livarde (*yawl* de Vancouver).

Gréement à deux voiles à livarde et foc (*bote* du *Sutil*).

Gréement à deux voiles au tiers amurées en pied de mât (*jollyboat* de la *Discovery*).

lure et le nombre de mâts n'étaient pas même liés systématiquement à la taille des embarcations, et certains dessins illustrant des comptes rendus d'expédition montrent de très petits canots et yoles gréés à trois mâts.

Sur ces bateaux allant à la voile mais aussi très souvent à l'aviron, les bômes ou guis n'ont jamais été appréciés. De même, les haubans et étais, qui tendent à gêner la manœuvre des avirons, à compliquer le levage et l'abattage des mâts lors des différentes missions effectuées par ces embarcations, sont-ils presque toujours proscrits. Ces contraintes, souvent manifestes lors de manœuvres d'urgence, sont illustrées de fort belle manière dans le récit de la tentative effectuée par le *Chatham* en 1792 pour passer la barre de la Columbia River et retrouver la sécurité relative de la pleine mer après avoir levé pour la première fois la carte de la légendaire "rivière de l'Ouest'" avec son cutter et sa chaloupe :

"De puissants rouleaux brisaient avec violence contre le vent et la marée, et retardaient leur progression. Plusieurs fois, le bateau fut capelé de l'avant à l'arrière par une déferlante. Monsieur Broughton avait fait mettre à l'eau la chaloupe et le cutter pour pouvoir parer à toute éventualité. Malheureusement, une lame énorme vint frapper la chaloupe avec une rare violence, et remplit le bateau, qui cassa sa bosse sous l'effet du choc. L'homme de veille de la chaloupe fut jeté à l'eau mais personne ne pouvait songer à lui venir en aide dans l'instant. Il y avait tout lieu de croire que le pauvre diable n'allait pas tarder à se noyer.

"Après avoir résisté à trois autres de ces assauts, le *Chatham* fut dépalé à toute vitesse par le vent et le courant. Dès que le navire eut atteint des eaux plus calmes, le cutter fut dépêché au secours de l'homme à la mer. Contre toute attente, celui-ci était resté fermement accroché à la chaloupe et tenait bon en dépit des lames qui l'assaillaient de toutes parts. Les marins du *Chatham* eurent la joie inexprimable de voir leur camarade ramené à bord sain et sauf. La chaloupe fut également récupérée, ayant seulement perdu ses avirons, ses mâts et ses voiles". (*Voyages dans le Pacifique Nord*, George Vancouver, 1798.)

Les embarcations de La Pérouse

Ces situations périlleuses pour les embarcations n'eurent pas toujours un dénouement aussi heureux, et l'on a vu, dans l'article précédent, quel malheur frappa l'expédition française en 1786, à l'entrée de la Baie des Français. En conclusion de la préface de son *Voyage*, La Pérouse tint d'ailleurs à remercier particulièrement ceux "qui ont cent fois exposé leurs vies, dans des canots et chaloupes, pour assurer la navigation des frégates, et diriger leur route au milieu des bancs et des rochers". Pourtant, cet aspect capital de son entreprise, si bien exploré par Gregory Foster pour les autres expéditions, n'a semble-t-il pas fait l'objet d'une étude particulière; il est vrai que la question des embarcations françaises du XVIIIe siècle est encore mal connue.

Détaillant son armement en rade de Brest au mois de juin 1785, La Pérouse écrit : "Nous avions en pièces *un bot ponté, d'environ 20 tonneaux, deux chaloupes biscayennes,* un grand mât, une mèche de gouvernail, un cabestan; enfin tout ce que contenait ma frégate est incroyable". Déjà le "Projet d'une campagne de découverte" rédigé en février prévoyait l'emploi *"d'un bateau Bermudien qui aura été embarqué en pièces"* et qui desservira une factorerie créée pour le commerce des peaux sur la côte d'Amérique; plus loin, il est précisé qu'il s'agit d'un bateau *ponté*.

En fait La Pérouse fit bien construire à Brest un bateau ponté de 18 tonneaux, proche de celui qu'il avait pris en baie d'Hud-son pour convoyer un prisonnier de marque en Angleterre, mais qu'il appelle *biscaïen*. Conçu par de Langle et par l'ingénieur Guignace, ce petit bâtiment fut réalisé sous la direction de Forfait, puis "démonté et mis en botte" avant d'être embarqué.

Qu'avait donc ce bateau, "bermudien" à l'origine, de "biscayen" ? Peut-être plus qu'on ne pourrait le croire, car La Pérouse, enfant d'Albi, semble avoir eu une préférence marquée pour les embarcations traditionnelles du Sud-Ouest. Dès le mois de mars, La Pérouse avait de son propre chef passé commande de deux bateaux-pilotes de la rivière de Bordeaux, déjà réputés à l'époque pour leurs qualités nautiques. A l'expérience, ces embarcations construites à Royan se révélèrent trop lourdes, et sans doute aussi moins maniables aux avirons et calant plus d'eau que les chaloupes réglementaires. En fait, les qualités voilières et la tenue de mer qui faisaient la réputation de ces bateaux n'étaient pas primordiales pour une telle expédition. Le biscaïen de 20 tx "en botte" était certainement le "bot ponté en pièces, d'environ 20 tx"; curieusement, ce terme de *bot* s'est conservé près de Royan jusqu'au XXe siècle pour désigner un type de bateau-pilote de la Seudre, le *bot* de l'Eguille.

Si La Pérouse devait finalement renoncer à ses chaloupes-pilotes de Bordeaux, il marqua jusqu'au bout sa préférence pour les embarcations du golfe de Gascogne : il conserva en effet pour sa drôme, outre un grand et un petit canot réglementaires pour chaque frégate, *"une biscayenne*, une yole, plus *deux biscayennes* "en botte" pour la *Boussole*,

une seule pour l'*Astrolabe*, et dix bateaux plus petits aussi en botte". Dans une note marginale, La Pérouse précise lui-même le sens qu'il donne au terme *Biscayenne* : "petit canot pointu des deux bouts, assez propre à naviguer lorsque la mer est houleuse."

Il s'agit donc bien du type traditionnel qui, à l'époque, avait été adopté dans de nombreux ports de l'Atlantique et même de la Manche, où il était utilisé pour les tâches de lamanage, de pilotage et de sauvetage. Le plan de chaloupe du pilote-major de la barre de Bayonne qu'a publié Pâris, proche à la fois des baleinières et des traînières, représente fort bien cette famille de bateaux d'aviron chers à La Pérouse.

La comparaison des raz du N-O américain avec cette barre de Bayonne revient d'ailleurs plusieurs fois sous la plume de La Pérouse. Arrivé devant la rivière de Bering, il envoie son grand canot et la biscayenne de l'*Astrolabe* "pour reconnaître une très grande et large rivière. Ils font de vains efforts pour y entrer, et trouvent un banc de sable à fleur d'eau, dans lequel le courant s'est ouvert deux embouchures, où la mer brisait, comme sur la barre de Bayonne".

Ce sont ces deux biscayennes qui feront naufrage au Port des Français. Contrairement au petit canot, qui perdra providentiellement son grappin et réussira à rester cul à la lame alors que les deux biscayennes seront tour à tour prises par le travers et roulées. Il serait bien imprudent d'en déduire, comme on l'a fait, une infériorité de leurs qualités nautiques; même les rescapés ne se sont pas permis un tel jugement.

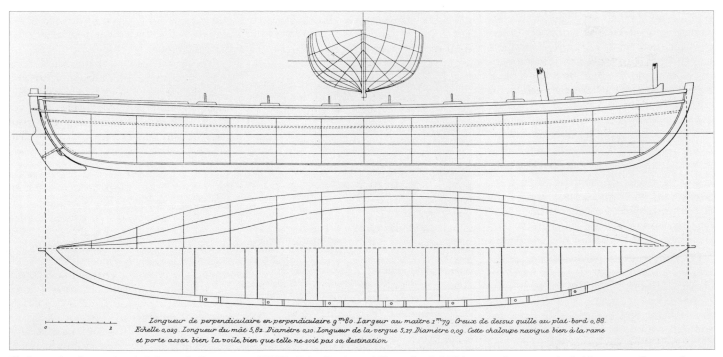

Longueur de perpendiculaire en perpendiculaire 9^m 80. Largeur au maître 1^m 79. Creux de dessus quille au plat-bord 0,88. Echelle 0,029. Longueur du mât 5,82. Diamètre 0,10. Longueur de la vergue 5,27. Diamètre 0,09. Cette chaloupe navigue bien à la rame et porte assez bien la voile, bien que telle ne soit pas sa destination

Chaloupe du pilote-major de la barre de Bayonne au XVIIIe siècle. Ce plan publié par l'amiral Pâris est un bon exemple de biscayenne. Ce sont des embarcations de ce type — très en usage alors sur les côtes de France —, mais un peu plus petites, que La Pérouse avait embarquées. Deux d'entre elles se perdirent dans le grand courant à l'entrée de la Baie des Français.

Essais à l'aviron de la première réplique construite, celle de la *launch* du capitaine Vancouver qui fut le véhicule principal de son exploration du Puget Sound. A l'arrière-plan, la ville de Vancouver qui porte son nom.

Dans la tradition des anciens

Les aventures exceptionnelles vécues à bord de ces bateaux dans des paysages fabuleux ont bien sûr fait beaucoup rêver; l'envie est venue de les revivre et aussi de redécouvrir sur le terrain les qualités marines de ces embarcations aux états de service impressionnants. C'est ainsi qu'a été organisée l'an dernier une longue randonnée qui prenait le sillage d'une des principales expéditions menées par George Vancouver en 1792. La réplique de la launch de la HMS *Discovery* est une petite chaloupe de 24 pieds de long, 6 pieds 8 pouces de large et trois pieds de tirant d'eau. Elle a été construite avec l'aide de quelques volontaires à Whaler Bay sur l'île de Galiano. Les lignes qui suivent sont extraites du journal de bord de ce voyage :

"Nous faisons route depuis treize heures — la moitié du temps à l'aviron — tantôt sous un soleil brûlant, tantôt dans le vent et la pluie, et l'on sent que l'héritage maritime du Nord-Ouest n'est plus la préoccupation majeure de l'équipage.

Le plongeon des avirons (décrit de façon tellement lyrique dans nos livres de chevet), le bruit sourd des tolets au moment où les huit pelles attaquent pour la dix millième fois la surface de l'eau, résonnent comme une litanie douloureuse dans nos têtes fatiguées. Nous avons embouqué le détroit à midi, mais depuis lors notre but n'a guère semblé se rapprocher. Le fait que nos prédécesseurs britanniques et espagnols n'ont peut-être pas eu plus de chance que nous, ne fait qu'ajouter une note ironique à notre fatigue et ne soulage guère nos ampoules.

Au début, le vent avait semblé favoriser notre tentative de traversée de cette véritable mer intérieure que les premiers explorateurs nommèrent "Gran Canal de Nuestra Senora del Rosario la Marinera" quand ils s'y abritèrent pour la nuit au milieu du labyrinthe de bancs de sable qui barre le delta de la Fraser. Le capitaine George Vancouver, qui avait minutieusement exploré cette côte de 1792 à 1794 jusqu'en Alaska, baptisa à son tour ce détroit "Golfe de Georgie" en l'honneur de son roi George III.

Compte tenu des efforts déployés par son équipage, ce n'est que justice que ce nom ait été finalement retenu. Malgré leur tirant d'eau qui ne dépassait pas cinquante centimètres, les embarcations de Vancouver étaient retenues à plusieurs milles au large par les bancs d'alluvions du fleuve. Après la tombée de la nuit, les marins durent finalement renoncer et mettre le cap sur le rivage opposé du golfe pour une brève escale vers minuit, le temps de cuire les repas du lendemain et de s'accorder un peu de répit après dix heures et demie consécutives aux avirons.

Malgré sa lenteur, notre propre marche nous réserve des joies incontestables. En embouquant le détroit, nous sommes accueillis par une bonne brise de noroît qui nous permet de rentrer les avirons pour envoyer nos voiles au tiers et nous reposer un peu. C'est l'occasion de mieux prendre la mesure des qualités nautiques de ces embarcations deux fois centenaires. Leurs formes avant généreuses leur donnent non seulement la possibilité de loger des nageurs très en avant,

Bivouac d'embarcations en expédition de découverte dans le Puget Sound, aquarelle de John Sykes, 1792. Remarquer la tente indienne à droite, celle des Européens à gauche. Au premier plan, un des canots a son tendelet et sa planche de débarquement à poste.

Ci-dessus : lancé à toute vitesse dans un des nombreux détroits parcourus de forts courants qui caractérisent la région, ce jeune équipage fait force de rames pour garder son embarcation manœuvrante dans les remous.

A droite : La réplique d'un petit canot *(yawl)* britannique marche à belle allure au plus près sous son joli gréement à trois voiles au tiers.

Au cours d'une expédition, la moindre grève abritée sous le vent d'un rocher fournit un point d'escale bienvenu, comme pour l'équipage de cette réplique de chaloupe espagnole, dont le pavillon met une note inhabituelle dans ce paysage marin du Nord-Ouest.

Au milieu d'un paysage grandiose, l'équipage du canot battant pavillon britannique s'engage sur les eaux calmes et mystérieuses du Jervis Inlet, véritable fjord dont Vancouver avait donné une description saisissante...

mais en font aussi des bateaux particulièrement secs, soulageant très bien à la lame. Sur ce point, leur réputation est établie de longue date.

On connaît moins en revanche les capacités de certains de ces canots à faible tirant d'eau à serrer le vent de près tout en gardant une bonne vitesse. Plusieurs fois, nous mesurons au loch une vitesse proche de six nœuds, pratiquement sans laisser de sillage. Cela prouve bien la maîtrise des charpentiers de marine du XVIIIe siècle dans la conception de ces bateaux soumis à des exigences très contradictoires; nous sommes également très impressionnés par le rendement des voiles au tiers qui gréaient beaucoup de ces embarcations.

Les milles succèdent aux milles de façon fort agréable, mais notre objectif est encore bien éloigné quand le vent commence à faiblir, avant de tomber complètement; un malheur ne venant jamais seul, nous avons grossièrement sous-estimé la vitesse du courant de la rivière qui

nous dépalait irrésistiblement sous le vent. Bien à contre-cœur, nous nous décidons à reprendre les avirons tandis que la nuit tombe et que le rivage opposé disparaît dans le brouillard.

Ce n'est finalement qu'après minuit que nous pouvons faire côte pour découvrir (comme Vancouver) que la plage qui sommeille sous les feux de nos lanternes ne nous permet pas de dresser une tente pour la nuit et ne comporte aucun abri pour la chaloupe au cas où le vent se lèverait. Nous faisons de notre mieux pour coucher les treize membres de notre équipage dans le bateau même, déjà bien encombré par notre drôme, nos provisions et nos équipements divers. Certains se consolent en pensant au capitaine Bligh, qui dut passer quarante sept jours dans le Pacifique avec un équipage de dix-huit hommes à bord d'une chaloupe de sept mètres.

C'est d'ailleurs dans ces moments difficiles, quand on est complètement épuisé mais contraint de passer une nuit blanche

mouillé au vent d'une plage inconnue, que l'on réalise la beauté et la solidité des liens qui nous unissent tant à notre bateau qu'à nos compagnons : tout notre univers se résume alors à cette coque de noix.

Voilà onze jours que nous suivons la route des marins de la *Discovery* et de la chaloupe espagnole de la *Concepción*; nous avons couvert trois cent cinquante milles environ et découvert des paysages que nous ne sommes pas près d'oublier : cette expédition nous aura été bénéfique sur tous les plans. Partis des îles ensoleillées du golfe, nous avons traversé les grands bancs de sable du détroit et parcouru les quatre-vingts kilomètres du Jervis Inlet, d'où nous avons pu contempler des paysages de montagne d'une beauté indescriptible, alors même que nous naviguions encore en eau salée.

Puis le décor change brusquement, au-dessus de la surface comme en dessous. Au fur et à mesure que les flancs des montagnes s'élèvent de plus en plus à pic et se resserrent autour de nous, les fonds deviennent eux-mêmes de plus en plus profonds, au point de nous faire perdre toute notion d'échelle dans un paysage effrayant. Vancouver lui-même, Vancouver le prosaïque, se découvre soudain une plume romantique : "Où sont les aimables et fertiles rivages qui avaient réjoui nos yeux jusque-là ? Ils ont cédé la place à une barrière enneigée qui jaillit de la mer jusqu'aux nuages; la neige fondue qui ruisselle de leurs sommets glacés se transforme en torrents qui cascadent dans de multiples crevasses et des gouffres lugubres. Toute trace de vie semble avoir déserté cette région, pas un seul animal ni le moindre oiseau pendant des kilomètres : même s'il y en avait eu, le fracas des cataractes nous empêcherait de toute façon de les entendre."

Comme nos prédécesseurs deux siècles plus tôt, nous réalisons que les lieux propres au bivouac dans l'Inlet sont rares et fort espacés, et que la pluie s'avère une compagne bien tenace. Nous sommes cependant loin d'être abattus. Je peux même affirmer que nous nous sentons très privilégiés d'être là. Et nos rares campements, malgré leur précarité, n'en sont que plus appréciés. Chacun ici est en parfait accord avec le point de vue exprimé par le botaniste de la *Discovery*, Archibald Menzies : "Nous fîmes un copieux repas et personne ne semblait regretter l'absence de plats conventionnels et de sauces bien mijotées. Il faut avoir vécu une telle situation pour connaître les joies d'un menu simple, improvisé sur le moment."

Ayant fait demi-tour, nous retrouvons le soleil et le vent généreux du détroit, les îles, les anses, les plages, les terres fleuries et les excellents mouillages auxquels nous étions habitués. Nos vêtements et nos voiles peuvent sécher, l'horizon est grand ouvert et les journées passées à l'intérieur de l'Inlet s'éloignent comme un rêve presque oublié.

D'un commun accord, la nuit dernière, nous avons continué à faire route pour le simple plaisir de contempler les étoiles dans l'air transparent, de profiter d'un vent bien établi et d'un courant favorable. Au lever du jour, nous rattrapons un remorqueur solitaire faisant route au Sud et nous prenons notre petit déjeuner tout près de lui, faisant voile au grand largue sur une eau parfaitement lisse, sous le vent du train de bois qu'il remorque…"

Peu de membres de ces équipages étaient des marins expérimentés; la plupart d'entre eux étaient même tout à fait néophytes. Ils apprirent toutefois très vite à établir, à ariser et à rentrer leurs voiles au tiers, à se débrouiller avec une carte marine, à tracer une route, à barrer, à mouiller une ancre et, bien sûr, à nager aux avirons. Il en avait été de même pour les équipes de volontaires qui s'étaient attelées avec passion à la construction des embarcations : le manque d'expérience ne fut jamais un obstacle insurmontable pour maîtriser rapidement l'essentiel de ces techniques, leur désir d'apprendre venant à bout de toutes les difficultés.

A notre époque de progrès technologique rapide, on s'aperçoit que l'explorateur ou l'artisan créatif sommeille encore en beaucoup d'entre nous. Des talents et des aptitudes inexploités se révèlent chez ceux qui, un beau jour, décident d'empoigner un aviron plutôt que de rester assis devant leur télévision, chez ceux qui, grâce à une puissance de rêve intacte, décident de revendiquer fièrement l'héritage de paysages côtiers magnifiques et de tout faire pour les préserver. Tout le monde s'accorde pourtant à dire que ces expéditions n'ont pas été des parties de plaisir, et ceux qui avaient en tête des visions de "charter" ont dû déchanter; de même, certains constructeurs familiers du "vite fait, mal fait" ont dû modifier leurs habitudes, tant physiques que mentales, pour retrouver les tours de main et les disciplines des charpentiers d'autrefois.

Mais ceux qui ont persévéré jusqu'au bout en ont cueilli la récompense. ∎

Deux siècles après les navigateurs du XVIIIᵉ, les randonneurs ont fait escale dans un des rares mouillages du Jervis Inlet; on a gréé le tendelet pour se garantir de la boucaille. A l'arrière-plan, le sommet des rivages boisés qui tombent à pic dans la mer disparaît dans les nuées. Le temps n'existe plus…

La résurrection du bateau
de Jacques-Yves Le Toumelin

Kurun au Croisic

Danièle Lamotte

Le 7 juillet 1952,
après trois ans de croisière
autour du monde, le *Kurun*,
aussi pimpant que le jour
de son départ, arrive au Croisic.

L'histoire de Kurun *ressemble à une fable dont la morale serait un éloge de la fidélité. Alors que les marins actuels changent de monture comme de chemise, Jacques-Yves Le Toumelin est l'homme d'un seul bateau. Après son tour du monde (1949-1952), l'idée de faire construire un plus grand voilier l'a bien effleuré, mais il n'a pu se résoudre à se séparer de son compagnon de route et est reparti avec lui aux Antilles (1954-1955). Mieux : lorsqu'il met définitivement sac à terre, il repousse avec une belle constance les alléchantes propositions d'achat et conserve jalousement son* Kurun *dans un hangar, pendant une trentaine d'années. S'il finit par le céder, pour un franc symbolique, à la ville du Croisic, c'est avec la promesse que son cher bateau resterait attaché à ce port qui l'avait vu naître. Et le plus beau est que ce sont ses amis d'enfance qui ont payé de leur personne pour le restaurer. Cette aventure humaine édifiante est évidemment inspirée par la personnalité de Jacques-Yves Le Toumelin dont la modestie n'a d'égale que l'obstination à défendre un certain art de naviguer comme au temps de la voile, en mesurant ses risques, en prenant son temps et en gardant les yeux grands ouverts sur le monde.*

Le lendemain de son retour au Croisic, après un tour du monde exemplaire, Jacques-Yves Le Toumelin découvrait à bord de son cotre un papier discrètement glissé entre deux espars. Sur cette feuille d'écolier, un enfant avait dessiné le *Kurun,* une mappemonde et cette simple phrase : "Je ferai comme vous quand je serai grand."

Parmi les nombreuses marques de sympathie dont le circumnavigateur a été l'objet, cet humble témoignage d'admiration était sûrement le plus émouvant. Car si Le Toumelin reste le maître à rêver de toute une génération de marins, l'auteur de *Kurun autour du monde* a, lui aussi, été un enfant fasciné par l'exemple de ses prédécesseurs.

Né à Paris en 1920, d'une mère malouine et d'un père capitaine au long-cours originaire de Sarzeau, dans le Morbihan, cet enfant n'apprécie rien tant que les longues vacances qu'il passe chaque année au Croisic. Là, il court les grèves en compagnie des gamins de son âge. Il y retrouve notamment André Bligné, qui évoque volontiers ces vacances turbulentes :

"Jacques et moi, nous nous sommes connus dès la prime enfance, dès l'âge de cinq ou six ans. Comme lui, j'habitais Paris et ne venais au Croisic que pour les vacances. La grand-mère maternelle de Jacques tenait l'hôtel le plus réputé du Croisic et la famille Le Toumelin venait y passer l'été. Nous nous rencontrions sur les plages et, comme beaucoup de gamins, c'était pour se battre (sans se faire trop de mal) à coups de boules de glaise. Nous avions en commun l'amour des choses de la mer. Pas encore au sens du grand large, mais la plage, les marées, la pêche, les promenades à pied sur les bancs de sable et sur le Traict."

Vocation précoce

Les deux petits estivants ne se contenteront évidemment pas de barboter dans les mares avec leurs haveneaux. "Petit à petit, se rappelle André Bligné, nous avons évolué ensemble et nous en sommes arrivés à aimer le bateau. Jacques avait un canoë et moi un petit canot qui appartenait à mes parents. Vers l'âge de douze ans, nous lui avons mis une voile qui avait été dessinée par le père de Jacques. C'était la première fois que nous avons fait de la voile. Ensuite, j'ai eu un bateau un peu plus grand gréé d'une voile au tiers. Nous pouvions ainsi aller plus loin, en baie de La Turballe. La sœur de Jacques, qui était plus jeune que nous et aimait beaucoup

le bateau, participait parfois à ces expéditions. Il arrivait aussi que le capitaine Le Toumelin nous accompagne. Le père de Jacques nous a appris beaucoup de choses : l'art de naviguer, mais aussi le matelotage, les nœuds marins, etc. Et comme notre seul moteur auxiliaire était une paire d'avirons, nous avons vite appris les courants, les marées et toutes les exigences de la voile pure."

C'est à cette époque de l'adolescence que les deux amis découvrent un troisième larron : Jean Quilgars. "Dans notre tendre enfance, se souvient celui que tous ses amis appellent Jano, nous nous sommes peu fréquentés. Ce n'est que vers l'âge de seize ans, lorsque les choses de la mer se sont affinées pour nous, que nous avons vraiment sympathisé en navigation. Ensuite, je me suis retrouvé avec Jacques au collège

Ce pastel représentant Jacques-Yves Le Toumelin à l'âge de quatre ans ne semble-t-il pas montrer que son destin était déjà scellé ?

Saint-Louis de Saint-Nazaire. Il était pensionnaire et moi demi-pensionnaire. C'est ainsi que sont nées des relations beaucoup plus suivies, favorisées par notre amour commun de la mer et de la chasse."

En ces années d'apprentissage, les joyeuses randonnées nautiques ne sont pour Le Toumelin que les prémices d'aventures plus ambitieuses. Dès son plus jeune âge, il rêve du grand large. Se promenant le long des quais du Croisic en compagnie de son père, l'enfant dévore des yeux chaque bateau et ne manque pas de demander au capitaine : "Dis papa, avec un bateau comme ça, est-ce qu'on pourrait faire le tour du monde ?"

Plus tard, ses rêves seront nourris par la lecture des récits de circumnavigateurs. Il a surtout une prédilection pour Louis Bernicot qui, à bord d'un sloup de 12,50 mètres dessiné par Talma Bertrand, boucle son tour du monde en 1938. Le départ d'*Anahita*, le 22 août 1936, est relaté par *Le Yacht.* Le Toumelin a seize ans et suit avec passion la croisière de son compatriote — Bernicot est originaire de l'Aber-Wrac'h. Il est d'autant mieux informé que M. Dumontier, le directeur de cette revue, est un ami intime de son père.

"Ils se retrouvaient aux repas de l'amicale des capitaines au long-cours sédentaires (qui avaient quitté leurs fonctions après la guerre). Là, ils parlaient du voyage de Bernicot. M. Dumontier annonçait que le commandant était arrivé à tel ou tel endroit et je suivais cela avec beaucoup d'intérêt. A ces repas était souvent invité Marin-Marie, que mon père appelait le "gabier de grand-mât" de l'amicale. A cette époque, il n'était pas encore connu mais les membres de l'amicale appréciaient beaucoup ses œuvres et le considéraient comme un vrai peintre de marine."

La transatlantique de Marin-Marie à bord de *Winibelle* (1933) allait plus tard inspirer à Le Toumelin son système de pilotage automatique par trinquettes jumelles, mais c'est vraiment Bernicot qui fut à l'origine de sa vocation. "Ce fut le déclic, affirme-t-il. A partir du voyage du commandant Bernicot, j'ai su que je ferais le tour du monde."

Avant cela, il y avait bien des choses à apprendre. Car Jacques-Yves Le Toumelin est le contraire d'un aventurier. Les marins qu'il admire sont des gens prévoyants qui ont mis toutes les chances de leur côté. En dépit d'un goût très modéré pour les études, et d'une haine féroce pour "ces amas de ferraille qui vont sur la mer", il prépare l'Ecole navale, par piété filiale plus que par conviction. Il y découvre des "futurs marins qui n'aimaient pas vraiment la mer" et n'est pas déçu outre mesure lorsque l'invasion allemande vient brutalement interrompre les épreuves du concours. A l'automne 1940, il s'inscrit à l'Ecole nationale de navigation de Nantes où on lui enseigne enfin ce qu'il brûle de savoir. C'est à cette époque qu'il découvre le livre de Slocum, *Seul autour du monde à bord d'un voilier de onze mètres,* qui lui fait "l'effet d'une décharge électrique". N'était le manque d'argent pour faire construire le bateau du voyage, il partirait sur-le-champ.

Marie-Tonnerre :
le gabarit croisicais

En attendant, il revient au Croisic sans avoir décroché son diplôme — "J'étudiais avec plus le souci d'apprendre que de réussir à l'examen" — et réarme son modeste sloup de deux tonneaux, le *Crabe*. C'est en rentrant d'une partie de pêche à bord de ce bateau qu'il tombe en arrêt devant un voilier de pêche flambant neuf : "Je tournai autour, en canot. J'admirai, en connaisseur, l'œuvre du maître-charpentier, les formes harmonieuses, puissantes sans lourdeur. La solide assise sur l'eau, l'avant bien défendu, la tonture prononcée attestaient par excellence le bateau de mer; *Marie* était son nom. Avec ses peintures fraîches, son gréement net et en ordre, la *Marie* était belle comme une jolie fille. Ce fut le coup de foudre. Et le 6 juin 1941, à 22h45, je notai sur mon carnet, comme pour ne pas l'oublier : Je pars *seul*, sur un bateau pareil à *Marie*."

En cette période troublée, l'affirmation relève de l'inconscience. Le père Bureau, auteur de la *Marie*, doit différer la construction de son sister-ship à cause des difficultés d'approvisionnement. Le Toumelin, qui vient de vendre son *Crabe,* se retrouve alors sans bateau et s'embarque comme "matelot léger" à bord d'un chalutier terre-neuvier de Saint-Malo. En raison des risques encourus dans l'Atlantique Nord, l'armateur envoie l'*Alfred* en Mauritanie. Le climat y est certes plus agréable mais l'atmosphère du bord est conforme à la tradition de la Grande Pêche : "J'étais considéré comme un Parisien, comme tous les autres jeunes qui s'embarquaient. Le capitaine nous avait bien prévenus : "Alors, les Parisiens, vous voulez tâter de la grande pêche ? Mais vous ne savez pas ce que c'est !" A bord de ce bateau, j'ai rencontré des hommes d'une robustesse inouïe. Moi-même, je n'aurais pas pu continuer tellement le travail était dur, je n'aurais pas tenu le coup. Le capitaine était surnommé "Capitaine tampon" car, quand un matelot venait se plaindre, il avait l'habitude de lui répondre par un bon coup de poing en pleine figure. Un jour, un mousse a eu un accident. Personne n'avait le temps de s'occuper de lui et il a disparu en bas. Tout le monde croyait qu'il allait mourir. Deux jours plus tard on l'a vu reparaître sur le pont et reprendre son travail comme si de rien n'était."

En dépit de cette épreuve, Jacques-Yves Le Toumelin ne regrette rien : "Je suis sorti de là avec un regain de vigueur mentale et physique. Ce fut un véritable

Le *Tonnerre,* photographié par son propriétaire devant le chantier Bureau (en haut), empruntait ses formes à la *Marie,* un canot de pêche qui, bien qu'il soit aujourd'hui le doyen de la flottille croisicaise, est toujours en parfait état. C'est le type du sloup "maquereautier" du Croisic sous sa forme ultime, et le seul qui ait été ponté de tête en tête.

coup de fouet. Après une telle expérience, on ne se laisse plus aller." Revenu au pays, il décroche son brevet de capitaine de la marine marchande et tente de lancer la construction de son bateau.

Les démarches sont longues et, en attendant, il arme à la pêche côtière un petit sloup demi-ponté, le *Marilou*. Au printemps 1943, le chantier démarre enfin, et le *Tonnerre* est mis à l'eau le 28 octobre de cette même année. Fidèle réplique de la *Marie*, ce sloup à corne ne ressemble pas à l'idée que l'on se fait à l'époque d'un yacht hauturier. Sa taille est réduite (L. 8,63 m x l. 3,15 m x t.e. 1,40 m), mais Le Toumelin estime alors que "la sécurité d'un bateau est plus une affaire de bonne conception que de dimensions".

Dans un long article publié dans *Le Yacht* avant son départ (les 11 et 18 juin 1949), où il expose ses théories en matière d'architecture navale, il décrit ainsi son *Tonnerre* : "C'était une coque particulièrement puissante, volumineuse en œuvres mortes, très défendue de l'avant, avec une tonture considérable; des formes évasées donnaient une grande réserve de flottabilité; longue quille droite, arrière à tableau avec forte quête. Cette coque, malgré un aspect qui pouvait choquer certains, avait des qualités extraordinaires à la mer (...) C'était un plaisir que de la voir se soulager avec aisance sur les grosses lames sans jamais embarquer. Ces qualités, dans les temps durs, allaient de pair avec une excellente vitesse, un équilibre parfait et une bonne maniabilité. Je pouvais louvoyer sous la seule trinquette."

A bord de ce bateau, Le Toumelin pratiquera la petite pêche côtière — le *Marilou* a été vendu — tout en amassant à bord le matériel nécessaire au grand voyage. Hélas, alors qu'il était monté à Paris à bicyclette pour aller voir ses parents, son rêve allait s'écrouler brutalement.

"J'avais la garde du bateau, raconte Jean Quilgars; c'était facile car il était amarré sous mes fenêtres. Un jour, je fus convoqué à la Marine allemande et à la douane. Là, on me dit : "Nous savons que vous avez la garde du bateau de M. Le Toumelin, nous allons le réquisitionner !" Bien entendu, j'ai protesté pour la forme, mais que faire devant la Kriegsmarine ? On m'autorisa juste à enlever du bord toutes les affaires personnelles du propriétaire, car le bateau devait être convoyé à Saint-Nazaire. Bien entendu, j'ai récupéré tout ce que j'ai pu, ne leur laissant que le strict minimum : une drisse pour hisser la voile et un câblot pour amarrer.

"Huit jours plus tard, ils emmenaient le bateau. Il y avait un mauvais vent de suroît. Ils ont dû passer trop près de la côte et ils se sont échoués du côté de Saint-Marc. Du moins, c'est ce que l'on pense car personne n'a jamais su exactement ce qui s'est passé. La seule chose que l'on sache, c'est que le bateau fut perdu et que rien ne fut récupéré."

Genèse de *Kurun*

Pour le commun des mortels, ce drame aurait mis un terme au projet de voyage, mais Jacques-Yves Le Toumelin n'est pas un être ordinaire. Sur le mur blanc de sa chambre, comme pour se donner du courage, il écrit simplement ces vers de Kipling : "Si tu peux voir détruit l'ouvrage de ta vie / Et sans dire un seul mot te mettre à rebâtir, / Alors... / Tu seras un homme, mon fils." Les plans de *Kurun* trottaient déjà dans la tête du futur navigateur.

Car il n'était plus question de refaire le même bateau. "A la réflexion, écrit Le Toumelin dans *Le Yacht,* je pensais qu'une coque plus grande offrirait plus de possibilités." Se référant à l'expérience de Slocum qui faillit sancir en passant le cap de Bonne-Espérance, il est convaincu qu'un petit bateau "peut chavirer dans le sens longitudinal, malgré les affirmations contraires des traités classiques de mécanique du navire". Mais le rêve d'un grand yacht est bien au-dessus de ses moyens et le réalisme lui impose une taille raisonnable de 10 mètres.

En revanche, il ne transigera pas sur le reste. "Un petit bateau de mer convenable doit avoir, pour largeur minimum, le tiers de sa longueur. On croit trop communément qu'une coque de voilier doit être étroite pour bien marcher. C'est une erreur. En augmentant la largeur, on

Faute de place, le chantier Leroux a dû louer un hangar aux ateliers Bihoré du Croisic, pour construire le *Kurun* que l'on voit ici en cours de bordage.

Le 26 février 1948, le *Kurun* qui vient d'être lancé, est mis à poste à la Grande-Jonchère. Il reste à le gréer et à compléter son accastillage, le forgeron n'ayant encore posé que les ferrures du gouvernail et les cadènes des haubans.

augmente la stabilité, donc la possibilité de porter plus de toile, et la force propulsive croît en conséquence." *Kurun* aura 3,55 mètres de bau.

A contre-courant des idées alors en vogue, Le Toumelin milite aussi pour un franc-bord important. "Tout bateau de mer doit avoir une grande réserve de flottabilité; c'est sa sauvegarde dans le mauvais temps. On a trop tendance à juger du franc-bord sur plan ou en contemplant les bateaux sur l'eau tranquille d'un port. En vérité, à la mer, il ne reste pas grand-chose de ce franc-bord; il suffit d'observer un voilier taillant sa route par belle brise pour en être persuadé. J'ai constaté que précisément, ces adversaires du franc-bord n'avaient aucun scrupule à doter leurs bateaux de superstructures souvent exagérées, notamment de roufs de house-boats allant de l'avant à l'arrière et dont le fardage est, le plus souvent, supérieur à celui d'une coque de mêmes dimensions mais bien défendue."

Quant aux élancements, le navigateur ne veut pas en entendre parler: "Ils sont à rejeter sur une coque qui doit vraiment battre la mer. Trop importants, ils sont nuisibles, voire dangereux. Les inclinaisons des extrémités doivent être harmonieuses, mais modérées."

Fort de ces quelques idées simples mais bien arrêtées, Le Toumelin demande à l'architecte Henri Dervin de lui dessiner son bateau. "Je lui expliquai mes desiderata et lui donnai les caractéristiques de la coque désirée. Il dessina le *Kurun* et il le réussit."

Dans cet article du *Yacht*, Le Toumelin entreprend de décrire son bateau, sa conception, sa construction. Ce sujet, qui évidemment le passionne, lui inspire de nombreuses réflexions, parfois à l'emporte-pièce, qui ne laisseront pas d'irriter certains de ses lecteurs. On y sent un jeune homme plein de fougue, mais aussi un marin dans l'âme probablement plus proche des pêcheurs bretons et des anciens de la voile que des yachtsmen parisiens. Voici quelques extraits significatifs de ce texte.

Jacques-Yves Le Toumelin photographié par son équipier Paul Farge pendant sa première traversée de l'Atlantique (mai 1950).

Un voilier indestructible

"C'est une coque puissante, bien défendue, dotée d'une bonne réserve de flottabilité; grande stabilité avec une largeur maxima de 3,55 m et à la flottaison 3,20 m seulement. L'examen des lignes d'eau montre un tracé malgré tout assez tendu et favorable à une bonne marche. Le plan de dérive est suffisamment développé pour permettre un excellent plus près et s'élever facilement dans le vent si nécessaire. Les élancements sont modérés avec une quille assez longue, favorable à la stabilité de route.

J'ai choisi l'arrière norvégien, le considérant comme le meilleur, tant du point de vue des formes — malgré la difficulté d'obtenir la meilleure "coulée" — que de la solidité de construction. A ce sujet, je surprendrai peut-être beaucoup de lecteurs du *Yacht* en disant que j'estime l'arrière à voûte comme le pire; les faits l'illustrent abondamment. En dehors des considérations précédentes: formes, solidité, je suis partisan du gouvernail extérieur, la jaumière étant toujours une source d'ennuis supplémentaires.

Un voilier de croisière doit avoir, outre une grande stabilité de forme, une stabilité de poids suffisante pour le rendre inchavirable. C'est pourquoi j'ai doté mon bateau d'une quille en fonte de 1900 kg, soit environ 22% du déplacement qui est de 8,5 t. Une telle coque est très marine, gîte peu, a des mouvements doux, ne mouille pas, reste bien en route. Et sa vitesse est très supérieure à l'idée que beaucoup pourraient en avoir.

La construction est robuste, sans exagérations inutiles. La solidité d'une coque dépend plus de la disposition judicieuse des pièces et des bonnes liaisons que de forts échantillonnages. On a employé presque exclusivement le chêne. C'est un des meilleurs bois qui soit. Personnellement, je le place même au-dessus de l'acajou pour lequel un engouement s'allie souvent à un certain snobisme. Le bordé a 29 mm environ fini, les préceintes, doubles, 36. Les membrures sont en acacia ployé à la vapeur, de 15 x 50, espacées de 200 mm de centre à centre. Les fonds sont fortement tenus par dix-sept varangues massives solidement chevillées et boulonnées. Les serres sont puissantes avec doubles serres de bouchain, bauquières et contre-bauquières boulonnées. C'est la meilleure construction qui soit. La supériorité de la membrure ployée pour ces petites unités n'est plus à démontrer.

Le pont est en iroko de l'épaisseur du

bordé. Ce n'est pas l'idéal, mais un progrès sur les bois mous et spongieux. Les hiloires du rouf sont également en iroko; j'avoue que c'est le seul point de construction qui ne me donne pas entière satisfaction au point de vue solidité. Noter que les hiloires sont boulonnées dans barrots et élongis, seule méthode donnant une étanchéité parfaite.

La construction fut confiée à Jean Moullec-Le Breton, assisté de son compagnon Coïc : des gens capables de couper une allumette en deux, sur l'épaisseur, avec leur herminette, comme d'ajuster des bordés de chalutier entre lesquels vous ne passeriez pas une lame de rasoir !

La coque est entièrement pontée. La solution vraiment marine est le flush-deck, mais c'était irréalisable en considération du creux insuffisant et du "guindant" généreux du propriétaire. J'ai réduit le rouf au maximum et ce n'est ni beau ni agréable, bien qu'il ne commence que sur l'arrière du mât et qu'il n'ait que 3,07 m de long. Quant au sacro-saint cockpit traditionnel, je l'ai banni comme à bord de mon précédent bateau. C'est à mon avis une discontinuité du pont qui affaiblit la construction par la suppression de plusieurs barrots et enlève, par surcroît, de l'espace utilisable pour l'aménagement. Cette baignoire est, en outre, peu commode quand on est obligé de barrer tourné soit vers bâbord ou tribord, au lieu d'être face à l'avant. J'ai encore mal au cou au souvenir de deux jours consécutifs passés entièrement sur le pont, presque continuellement à la barre d'un cotre de croisière ainsi équipé... Quant à l'étanchéité des cockpits dits étanches, elle reste souvent à démontrer !

J'ai préféré le bon banc de quart. Au moins là on a ses sabots ou ses pieds nus solides sur le pont et s'il faut aller devant à la manœuvre, on y est d'un seul bond. Autre avantage du banc de quart : je loge dessous mes béquilles solidement arrimées dans le sens transversal, alors qu'à bord de tous les yachts on ne sait absolument pas où caser ces pièces encombrantes. De plus, le banc de quart est un excellent établi pour bricoler; la fixation de l'étau y est tout indiquée.

Le pont est ceinturé d'un pavois de 0,29 m de haut. Le pavois est indispen-

Kurun en baie du Croisic, le 29 septembre 1954. Dans un texte ultérieur, Le Toumelin écrivait à propos de son bateau : "Quand il fut mis à l'eau, au mois de février 1948, le *Kurun* était déjà un bateau démodé, périmé par rapport aux yachts classiques d'alors, coque et gréement. Les fines carènes élancées et les gréements marconi étaient de rigueur. Oui, le *Kurun*, c'était déjà du vieux, de l'ancien, de l'archaïque même aux yeux de certains; mais précisément, c'était du bien connu, de l'éprouvé. On a voulu respecter toute une tradition maritime et l'on s'est inspiré de l'expérience séculaire des bateaux destinés, sans fantaisie, à naviguer en tous temps, par tous les temps, pour des raisons professionnelles — sans méconnaître et encore moins dédaigner pour autant tous les nouveaux acquis. Bien au contraire. Que de magnifiques yachts !" (Bulletin municipal de La Turballe, 1985).

1er novembre 1949, Le Toumelin grimpe au mât pour mieux voir la côte africaine qui se profile à l'horizon. Bien qu'il ait eu quelques déboires avec la ferrure de pic qui se déformait et mâchait le bois au portage, le patron du *Kurun* reste un inconditionnel du gréement à corne.

sable sur un bateau de croisière, pour la sécurité et pour empêcher le matériel de passer par-dessus bord. Ces pavois sont du reste surmontés de solides chandeliers à double filière. A ce point de vue, nombre de bateaux de croisière sont dangereux : rien n'étant prévu pour se tenir sur ces ponts perpétuellement inclinés, balayés dès qu'il y a un peu de mer et où l'on peut à peine mettre un pied à côté de l'autre.

Un gréement jugé archaïque

Quant au gréement, il est traditionnel, archaïque, diront certains. Eh oui ! le bon vieux cotre à corne, trapu. Plan de voilure largement étalé dans le longitudinal, division se prêtant à de multiples combinaisons. Je ne saurais raviver des polé-miques interminables, mais je m'en tiens à ce gréement parce que j'ai pu en juger à la pratique.

Le mât est court — 9 m au-dessus du pont — et solidement tenu par quatre haubans en acier de 12 mm de chaque côté. Sur l'avant, la tenue est triple : un étai et deux drailles. Faire dépendre la tenue sur l'avant d'un seul étai est imprudent. Autre erreur me semble être de faire dépendre du bout-dehors la tenue des étais; le mien est absolument indépendant de tout le reste. Avec à peine la moitié de son haubanage, mon mât ne devrait pas bouger dans un coup de temps. Naturellement, pas de bastaques. Un bon gréement doit être robuste et simple.

Mes voiles sont en fort coton croisé. Une voile digne de ce nom doit être en toile robuste, bien cousue, convenablement doublée, solidement ralinguée. C'est évidemment agréable d'avoir des voiles qui portent merveilleusement avec des souffles de brise du bassin des Tuileries; mais si elles doivent partir en lambeaux dès que le père Eole gonfle ses joues, ce sont là des fantaisies qui peuvent tout simplement coûter la vie au bateau !

Je ne dirai pas que mon gréement se manœuvre tout seul. J'avoue humblement que c'est quelquefois pénible avec une grand-voile de 40 m² en coton n°5, des espars généreux, des poulies et des manœuvres largement calculées. Pour hisser et étarquer à bloc, il ne suffit pas de regarder en l'air, surtout quand il y a de la mer et de la brise... Mais on choisit un gréement parce qu'on estime qu'il est le plus marin et non parce qu'il est le plus agréable.

Des yachtsmen se sont moqués de mon long bout-dehors : 3 m à l'extérieur. Je leur réponds : il serait encore beaucoup mieux s'il avait un mètre de plus ! Sans parler des avantages de posséder deux voiles à l'avant, du réglage de l'équilibre, il ne faut pas sous-estimer l'effet puissant du foc sur la stabilité de route aux allures portantes. Le brave bout-dehors est un épouvantail pour ceux qui aiment bien les bateaux mais qui ont peur de la manœuvre...

Quant au moteur auxiliaire, je suis à mettre dans la classe des "fous irréductibles". Je désire en rester à ce merveilleux stade de la voile pure et n'aurais pas le courage de mettre cet engin dans ma belle coque de chêne. Pourtant, combien m'ont fait de recommandations émues ! Ah oui, le moteur auxiliaire; la belle garantie ! Vous empêchera-t-il d'être jeté à la côte par mauvais temps ? Les moteurs dits auxiliaires sont souvent trop faibles pour être vraiment efficaces quand il y a vraiment du vent et de la mer. Rien ne vaut un bon gréement et de bonnes voiles.

Plus jeune, j'ai failli plusieurs fois perdre des bateaux sans moteur; mais, à la réflexion, j'étais fautif. Il y a des risques qu'un vrai marin ne sait pas prendre et la sagesse à la mer est aussi de prévoir. Au surplus, on deviendra difficilement un vrai manœuvrier si l'on s'habitue à utiliser le moteur. Il est si pratique qu'on le met en route à tout bout de champ et dès qu'une manœuvre s'avère pénible, ou compliquée.

L'aménagement est simple. Le luxe en est exclu, aussi bien par raison d'économie que par son inutilité. Vernis et cuivre sont réduits au minimum. Je trouve d'ailleurs tristes et sombres les intérieurs entièrement en acajou verni. Vive les intérieurs de roufs peints en blanc."

L'auteur de cet article décrit alors tous les détails de l'aménagement du *Kurun* et fait l'inventaire, impressionnant, du matériel embarqué pour son tour du monde. "Beaucoup se sont moqués de ma trop grande minutie, commente-t-il. Mais le succès des grandes navigations est fonction du soin apporté à leur préparation."

Conscient d'avoir bousculé quelques idées bien ancrées dans le monde du yachting, Jacques-Yves Le Toumelin conclut ainsi la présentation de son bateau : "Ce petit bateau ne paraîtra pas très orthodoxe à beaucoup. Les habitués des bateaux fins le trouveront tocard. Je répondrai à ces sceptiques : savez-vous exactement ce qu'est le gros temps ? Combien prennent un grain pour un coup de vent et un coup de vent banal pour une tempête historique ! Autre chose est d'avoir subi, ne serait-ce qu'une seule fois, des coups durs, quand le vent souffle à plus de 100 km/h et que la mer n'est qu'écume et poussières d'embruns."

Le grand départ

A l'époque où *Le Yacht* publie ce texte, le *Kurun* et son propriétaire sont fin prêts pour le départ. Le cotre est baptisé avec une bouteille d'eau de mer prélevée sur le lieu du naufrage de *Tonnerre,* Le Toumelin voulant marquer ainsi que le *Kurun* — "tonnerre" en breton — est bien le prolongement de son précédent bateau, la preuve tangible d'un même acharnement à partir seul et loin sur l'océan. Une idée fixe ancrée en lui depuis l'âge de dix-sept ans; un rêve chevillé à son âme qu'il explique simplement par "un grand amour de la mer".

Partir, oui, ses amis savent qu'il ne pense qu'à cela; mais ils ignorent encore son intention de faire le tour du monde sur un aussi petit bateau. "Jusqu'au moment du départ, dit Jean Quilgars, je ne posai pas de questions sur ce qu'il se préparait à réaliser. Puis, à mesure que ce jour approchait, je me suis mis à réaliser l'ampleur du projet et je me suis même inquiété. Je n'étais pas le seul : beaucoup de pêcheurs pensaient que ça ne tiendrait pas."

La solitude faisait partie du programme, mais, en bon fils, Jacques-Yves cède aux injonctions de son père qui, pour se rassurer, lui a trouvé un équipier. Gaston Dufour sera du voyage. Le 19 septembre 1949, le *Kurun* quitte discrètement Le Croisic, accompagné par quelques rares intimes. Il n'y reviendra que trois ans plus tard.

Grâce à la correspondance qu'il adresse à sa famille, les lecteurs du *Yacht* seront régulièrement informés de la progression du navigateur dont le père joue en quelque sorte les attachés de presse. Le Commandant V. Le Toumelin signe ainsi plusieurs articles pour raconter le périple de son fils. Il prend même parfois la liberté de tempérer ses propos, qu'il estime probablement outranciers. Ainsi écrit-il (21 janvier 1950) : "Le jeune auteur, plein de son sujet et fort d'une certaine expérience, a exprimé d'une façon parfois exclusive, des appréciations sur la construction, les formes, le gréement, l'armement et la sécurité en mer des bateaux de plaisance. Pour des vétérans du yachting, il est superflu de dire que ces appréciations concernent plus particulièrement les bateaux utilisés à des croisières, bien que conçus en vue de compétitions."

Nous n'allons pas ici nous étendre sur ce tour du monde exemplaire relaté par l'auteur de *Kurun autour du monde,* mais plutôt en tirer quelques traits de la personnalité d'un marin trop discret pour se livrer lui-même à cette entreprise.

Un tour du monde sans histoire

Alors que ses parents tremblaient pour sa sécurité au point de lui imposer un équipier, alors que les marins-pêcheurs, les yachtsmen et jusqu'à l'architecte du bateau estimaient le *Kurun* trop petit pour une telle aventure, ce tour du monde s'est déroulé "sans histoire". Pourtant, en dépit de la sobriété de son récit, il est évident que le navigateur a dû affronter de terribles épreuves. Mais il les a toujours surmontées sans dommage.

Au vent arrière, comme ici dans l'alizé du Nord-Est, lors de la traversée de l'Atlantique, *Kurun* pouvait naviguer tout seul sous deux trinquettes jumelles dont les bras de tangons étaient reliés à la barre. Ce pilotage automatique fut déjà expérimenté par Marin-Marie en 1933, mais Le Toumelin, qui n'en connaissait que le principe, dut lui aussi tâtonner pour mettre au point le système. Il fit notamment réaliser à Fort-de-France un petit mât tripode métallique destiné à supporter les pieds de tangons à une hauteur suffisante pour éviter qu'ils ne se mâtent. Les mouvements de la barre sollicitée par la tension de l'un ou l'autre bras, lorsque le bateau s'écartait du vent arrière, étaient par ailleurs compensés par des élastiques.

Mon bateau coulait bas...

Pendant toute l'escale à Tahiti, je fus astreint à de nombreux travaux à bord. Je désirais repartir avec un bateau impeccable. La route vers la France était longue et les escales prévues relativement courtes. Je visitai de nouveau tout le pouliage et le gréement. Je refis toutes les peintures extérieures et mis ma prame à neuf.

J'avais décidé de confectionner une voile triangulaire, partant de la tête du mât. Je pensais l'utiliser au vent arrière, en sus des trinquettes jumelles, et au grand largue, à la place de la grand-voile normale, afin d'obtenir un meilleur équilibre du bateau.

La confection en fut longue. Acheter toile et ralingue, couper moi-même la voile sur le ciment du *skating*, en marquant les ronds et les coutures "forcées", la faire coudre à la machine — quatre coutures — par un tapissier, disposer les doublages, avoir recours à un menuisier pour la confection du bois de point de drisse, et enfin la faire ralinguer par une femme pomotu, colosse à la poigne de fer (...)

Le 2 mai, M. Walker, constructeur, mit le cotre au sec, gracieusement, sur le quai. Je fus consterné en découvrant, à la flottaison, quelques trous de tarets heureusement sans gravité. La cause de ces dégâts était simple : aux Marquises j'avais enlevé quelques coquillages qui s'étaient fixés sur la coque, arrachant en même temps, sans y prendre garde, la couche protectrice de peinture. Je grattai la carène. Dans les hauts, il me fallut enlever toute la vieille peinture blanche et mettre le bois à nu. Le travail était pénible, mais il n'y avait pas à rechigner.

Le 25 mai, le *Kurun* fut remis à l'eau. Le cotre glissa tout seul, à bonne vitesse, sur les glissières bien suiffées. Je ne me doutais pas de la suite. J'avais quitté le cotre pour me rendre à terre. Quand je revins sur le quai, le *Kurun* m'apparut bien lourd, anormalement enfoncé. A bord, je trouvai le plancher flottant dans la cabine ! L'eau entrait avec force par les coutures des bordés qui s'étaient ouvertes au soleil. J'avais cependant prudemment protégé la coque avec des bâches et des voiles pendant les travaux de peinture. Mais cela n'avait pas suffi.

Mon bateau coulait bas dans le lagon en plein après-midi, sous les yeux de spectateurs impassibles. Pas de plage en pente douce à proximité pour échouer. C'était la catastrophe. Le *Kurun*, mâture comprise, allait-il disparaître dans les eaux calmes de la rade ? Il y avait du désordre à bord, le matériel de peinture n'ayant pas encore été remis à sa place. Je ne retrouvai pas le piston de la pompe de cale. La grosse pompe d'évacuation, dont les joints de clapets s'étaient abîmés, fonctionnait d'une manière dérisoire. L'eau montait vite...

Toscano, ex-matelot de *Fleur-d'Océan*, heureusement présent, me donna la main. Avec des seaux, nous nous mîmes au travail. Enfin, je retrouvai le piston de ma pompe. Laborieusement, la rentrée d'eau fut étalée. Toute la

Carénage à Fort-de-France. L'entretien scrupuleux du bateau est la préoccupation majeure du navigateur qui se soucie peu de la galerie mais beaucoup de sa sécurité.

nuit, sans arrêt, il fallut pomper. Dans les douces ténèbres parfumées des odeurs capiteuses de la terre, au son des guitares des Tahitiens rieurs et insouciants, nous pompions, nous pompions... à tour de rôle.

Le lendemain, les entrées d'eau étaient beaucoup moins fortes et, vingt-quatre heures plus tard, la coque était de nouveau étanche comme une bouteille.

(Extrait de *Kurun autour du monde*)

La chaîne casse...

Les Instructions nautiques disent qu'il existe un bon mouillage à Mount Ernest Island. Je prends donc cette île pour but, car il n'est plus question de sortir de Torrès ce soir (...) Je marche à bonne allure, passe entre l'îlot Pecnacar et l'île, puis me rapproche de la côte, en observant les décolorations de l'eau. Même à l'abri de l'île, il y a de la houle, et de lourdes rafales tombent du mont.

Je suis très perplexe. Au lieu de mouiller, ne vaudrait-il pas mieux capeyer cette nuit ? Je m'en tiens cependant à ma première idée et je vais mouiller à l'extrémité Nord-Ouest de l'île, à environ cinq cents mètres du récif où la mer est la plus plate. Il est 15h40. Sous l'effet du courant, le bateau court sur sa chaîne et j'amène la grand-voile promptement (...)

Je mets de l'ordre sur le pont et prépare un petit repas. Puis je songe à prendre, après quatre-vingt-quatre heures de veille, un repos bien gagné. Le bateau ne semble pas souffrir au mouillage, malgré des coups de rappel sur la chaîne de temps à autre. Je m'endors tard,

comme plomb, sur ma couchette mouillée. Pas pour longtemps !

22h40. Je me réveille. Intuition ? La chaîne semble forcer. Je passe un pull-over et vais monter sur le pont pour bosser l'extrémité de la chaîne. Comme j'escalade l'échelle de descente, bang ! ça y est, cassé ! Je me précipite à l'avant : l'émerillon a manqué : du fer de 13 mm de diamètre ! Je suis consterné. Ma belle chaîne calibrée et mon ancre sont perdues.

Sans perdre une seconde, avant que le cotre parte en dérive, je repère par des relèvements la position de mon ancre dans l'intention de venir la récupérer. L'alizé souffle en coup de vent et le cotre s'éloigne rapidement de l'île. Après avoir de nouveau examiné longuement la carte, j'établis la voilure. Alors commence un pénible louvoyage qui va durer plusieurs heures (...) Trempé jusqu'aux os, les mains déchirées, je n'arrive pas à border mes voiles, tant la brise est forte.

Je regarde mon gréement dans les rafales. Il vente à démâter, ce qui signifierait la mort sans phrases. A moins de dix milles sous le vent, les récifs sont là, balayés par des courants très violents. Le *Kurun* lutte vaillamment, sans défaillance.

Enfin, vers 3h30, je retrouve l'abri de l'île. Mais à peine ai-je mis en cape que le cotre est pris tout à coup dans un courant qui l'emmène à vive allure dans le Nord-Est ! Cette fois je laisse aller; tant pis pour l'abri. Laissons courir jusqu'au jour, la direction de ma dérive est franche de dangers. J'abandonne l'espoir de récupérer ma chaîne en draguant son emplacement. Le jour venu, je remettrai en route pour reprendre le chenal.

(Extrait de *Kurun autour du monde*)

La raison en est simple : Jacques-Yves Le Toumelin est prudent au point d'anticiper toujours les ennuis. La robuste construction du *Kurun* en témoigne, comme l'impressionnant outillage embarqué, au cas où. Dans le même esprit, il entretient son voilier avec un soin maniaque, non pas pour faire de l'effet au mouillage — il déteste les vernis — mais pour mettre toutes les chances de son côté. Et c'est encore par une sage prudence qu'il épluche les documents nautiques, qu'il peaufine sa navigation astronomique, qu'il s'en réfère constamment à l'expérience des anciens de la voile, qu'il illumine son carré et hisse un fanal blanc en tête de mât — au lieu des feux de route, réglementaires mais invisibles — pour prévenir les abordages. Coureur de fond, il ne recherche ni l'exploit, ni la vitesse, il parcourt le monde avec le souci constant d'atteindre dans de bonnes conditions le but qu'il s'est fixé. "Le goût du risque pour le risque, écrit-il, ne témoigne-t-il pas d'une inconscience presque morbide ?"

Ainsi s'explique sa réserve vis-à-vis des marins qui défient l'océan sans se donner tous les moyens d'en triompher. Paul Mül-ler qui s'enfuit d'Allemagne de l'Est avec sa fille Aga sur une minuscule embarcation lacustre — le *Berlin* — est d'abord considéré par lui comme un dément. L'équipage épuisé qu'il rencontre aux Canaries et qui connaîtra un peu plus tard une épouvantable tragédie — Müller décède et sa fille doit prendre la barre avec le cadavre de son père à bord — ne force son admiration que par son courage hors du commun. Le courage, l'énergie, la volonté, voilà bien les valeurs auxquelles se réfère constamment le navigateur que la nonchalance des Tahitiens, par exemple, déroute complètement.

Enfin, on ne peut évoquer ce tour du monde sans souligner l'humanisme de son auteur. Contrairement à nombre de récits maritimes, les escales tiennent une place très importante dans le livre de Le Toumelin. Mal à l'aise dans un monde moderne qu'il ne comprend pas, il est curieux de découvrir des pays différents, des civilisations vivant selon d'autres critères. Il parcourt le monde sans a priori, avec l'humilité de celui qui se cherche. Son voyage est ainsi émaillé de rencontres et le sillage de *Kurun* apparaît comme le fil conducteur d'une chaîne d'amitiés. Ils n'étaient pas si nombreux les blancs qui à cette époque fraternisaient comme lui avec les gens de couleur en Afrique du Sud !

Héros malgré lui

Le 7 juillet 1952, la jetée du Croisic est en vue. "J'étais depuis longtemps en contact avec les parents de Jacques, raconte Jean Quilgars. Il était convenu que je les embarque à bord de mon *Indomptable* pour aller au-devant de lui. Quand il a été signalé au phare du Four, je suis allé chercher ses parents et nous avons embarqué. La ville du Croisic était en effervescence. Les journalistes et photographes se relayaient jour et nuit sur la jetée en surveillant l'horizon. Alors que nous étions à la bouée du Castouillet, nous avons aperçu une voile au loin, c'était lui. Ses parents se sont alors levés pour faire de grands signes. Ils souriaient, de soulagement et d'émotion. Quand *Kurun* a été à notre portée, Jacques a sauté à bord pour les embrasser. Pendant ce temps-là, son bateau filait sous voiles sans personne à bord.

Jacques-Yves Le Toumelin était parti en catimini, dans l'indifférence générale. Lorsqu'il revient au Croisic trois ans plus tard, c'est une foule d'admirateurs qui l'attend. Cet accueil étonnera d'autant plus le navigateur que son tour du monde n'avait selon lui rien d'exceptionnel : "Les bateaux sont faits pour aller sur la mer et les marins dessus..." A gauche, un joli sloup maquereautier typique du port.

Au large du Croisic, à bord de *L'indomptable* dont Jean Quilgars tient la barre, les parents du navigateur viennent de reconnaître le *Kurun* (en haut). Une semaine plus tard, le 14 juillet 1952, André Morice, ministre des Travaux publics et de la marine, remet à Jacques-Yves Le Toumelin la médaille du mérite maritime.

entier qu'il ne doit pas douter des vertus de notre peuple". La revue qui a régulièrement rendu compte de la croisière de *Kurun* va même lancer une souscription pour offrir un cadeau au navigateur; et l'année suivante, elle s'étonnera à bon droit qu'il n'ait pas reçu la "Blue water medal" en dépit d'une croisière sans fautes : "Après trois ans d'excellente navigation, le cotre revint à son port de départ sans avoir fait d'avaries ni perdu une voile".

A peine Le Toumelin avait-il amarré son cotre au Croisic que déjà il songeait à repartir : "Malgré mon bonheur de retrouver mon pays et les miens, malgré la joie de l'heure présente, je sentais déjà (...) que cette arrivée n'était pas un retour définitif au port. C'était une escale..."

Il n'est pas sans intérêt de noter ici qu'à cette époque Jacques-Yves Le Toumelin avait l'intention de se faire construire un nouveau bateau. Non que le brave *Kurun* l'ait déçu, mais l'expérience de trois ans de navigation a contribué à mûrir sa conception du voilier hauturier. Elle a d'abord confirmé ce qu'il formulait déjà avant son départ : le nouveau bateau aurait les caractéristiques générales du précédent, mais il serait un peu plus grand, ce qui ménagerait un volume intérieur suffisant pour supprimer le rouf.

L'expérience de la mer a aussi émoussé quelques idées bien tranchées puisque le navigateur envisage de repartir sur un voilier motorisé: "Malgré mon amour de la voile, écrit-il dans *Kurun aux Antilles,* je dois reconnaître que le moteur donne au voyageur marin plus de possibilités et d'autonomie."

Pourtant, ce projet caressé pendant quelques mois ne sera jamais réalisé. Le navigateur est décidément trop attaché à son cher *Kurun* pour le vendre. "La pensée que le premier richard venu pût acquérir mon bateau m'était odieuse", avoue-t-il.

En 1954, Le Toumelin repartira donc à bord de son cotre pour une croisière aux Antilles que sa précédente visite ne lui avait pas permis d'explorer à fond. Un voyage aussi exemplaire que le précédent, une traversée sans histoires — à part un abordage près de Madère — dont le récit est un véritable cours de savoir-faire marin. A peine rentré au Croisic, le marin pense une nouvelle fois être en escale; il conclut son livre *Kurun aux Antilles* par un hymne à la liberté précédé de ces simples mots : "Je vais reprendre contact avec la terre... Pour combien de temps ?"

Nous étions à un ou deux milles du port."

Stupéfié par l'accueil réservé par une foule de badauds agglutinés sur les jetées, Le Toumelin le fut sans doute davantage encore par les multiples décorations dont on le gratifia. Lui qui se souciait si peu d'honneurs allait, bien involontairement, collectionner les médailles. Dès son arrivée, le ministre des Travaux publics et des transports le fait Chevalier du mérite maritime. Plus tard, il reçoit la mé-

daille d'or de l'éducation physique et des sports et, une semaine après, la croix de la légion d'honneur. Cette dernière distinction déclenchera même une petite polémique, un grand hebdomadaire ayant publié le courrier d'un lecteur indigné qu'on décore ainsi un homme qui a fait le tour du monde "pour son seul plaisir". Dans un vibrant éditorial, *Le Yacht* prendra la défense de son poulain qui "bien inconsciemment, a convaincu le monde

Après deux ans de relâche au Croisic, le *Kurun* reprend le large. Cap sur les Antilles ! (ci-dessus). Lorsqu'il en reviendra, en 1955, son capitaine l'amènera à la godille jusqu'à son poste d'amarrage habituel de la Grande-Jonchère (ci-dessous). Mais cette fois l'escale est définitive.

Sac à terre

Pour très longtemps, car Jacques-Yves Le Toumelin ne reprendra plus le large. Le *Kurun* sortira bien encore quelque temps vers Belle-Ile, Houat, Hoëdic, mais à partir de 1960, il ne quittera plus le port. Son propriétaire est alors quadragénaire, l'âge où l'on se cherche un refuge. La paix intérieure qu'il est allé chercher sur tous les océans de la planète, c'est finalement à sa porte qu'il l'a trouvée, à la pointe de Pen Bron, juste en face du Croisic. Il y a là une terre en friche où il allait pique-niquer autrefois avec André Blignè, où il allait chasser avec son ami Jean Quilgars; il y érige un vieux baraquement en planches et commence à défricher, à replanter, à creuser, avec l'énergie qu'on lui connaît. Une fois la jungle devenue parc, il y fait construire une maison, à deux pas de l'eau, d'où il peut entendre les pulsations du flot et du jusant qui, selon ses propres termes, "semblent être la respiration de (la) Bretagne".

Et pendant tout ce temps, le *Kurun* se

morfond. Il reste sept ans à flot, sans quitter son poste d'amarrage, après quoi il trouve refuge dans un hangar de gardiennage dont il ne sortira plus avant longtemps. Sollicité par la municipalité du Croisic qui souhaite valoriser son patrimoine maritime, Le Toumelin accepte, en 1987, de céder son bateau à celle-ci, à la condition qu'il ne quitte pas Le Croisic, qu'il soit remis dans son état d'origine et ouvert au public. Le vénérable voilier est alors confié à une association locale créée pour la circonstance et naturellement appelée "Les amis du *Kurun*" (Keineled ar *Kurun*).

Au nombre de ces amis, on compte bien sûr ceux de toujours, comme André Blignè — il est président de l'association — et Jano Quilgars, mais aussi tous ceux qui localement ont appris à connaître et à apprécier ce voisin célèbre et néanmoins modeste. L'association a également accueilli quantité de gens qui, par la magie de la lecture, ont eu le bonheur de faire le tour du monde à bord de *Kurun*.

Le *Kurun* ressuscité

La municipalité du Croisic, représentée à l'association par le très actif adjoint au maire Jean Allain, va d'abord construire un hangar pour abriter le chantier. Là, les équipes de bénévoles — dont un groupe d'élèves du CES Jules Verne du Pouliguen — se relaieront pour redonner vie au célèbre voilier. Depuis vingt ans qu'il est à l'abri, le *Kurun* s'est forcément desséché comme une momie; l'eau, c'est la vie des bateaux en bois !

Certes, le chêne est toujours en état, mais les coutures se sont ouvertes, les liaisons se sont délitées : il y a du jeu à l'étrave, à l'étambot, à la râblure. Il faut d'abord mettre la coque à nu : un travail ingrat qui se fera entièrement à la main, avec des grattoirs. Il faut aussi vider les 380 mètres de coutures de leur ancien enduit, dur comme pierre, et les recalfater au bitord de coton, les passer au minium, les mastiquer. Il faut encore nettoyer un à un les 4410 trous de carvelles, et les reboucher au synthobois. Le pont également a souffert, qu'il est nécessaire de décaper entièrement et de rejointoyer.

Après plus de mille heures d'efforts, les Amis de *Kurun* ont voulu vérifier la qualité de leur travail. Le 20 octobre 1989, la coque est remise à l'eau... quelques minutes, le temps de constater d'importantes voies d'eau au niveau de la liaison du lest métallique. Le *Kurun* doit reprendre illico le chemin de son hangar. Pas de doute, il faut démolir le ciment de fond de cale pour resserrer les boulons de quille. Une fois les brèches colmatées et les fonds enduits d'un mélange de suif et de brai bouillant, la coque semble parfaitement étanche. Le 28 septembre 1990, le *Kurun,* rutilant, retrouve son élément. Les pompes sont à poste, au cas où, mais elles s'avéreront inutiles. Il ne reste plus alors qu'à restaurer les aménagements — ils avaient été entièrement déposés — et à remettre le gréement qui, lui, était resté dans un parfait état.

Le 26 mai 1991, le *Kurun,* aussi pimpant qu'à son neuvage, est officiellement présenté au public. Une journée mémorable à laquelle participe bien sûr Jacques-Yves Le Toumelin. L'émotion de celui-ci

▶

Faute de moyens, ce sont les bénévoles de l'association qui ont assuré eux-mêmes la restauration du bateau. Un travail parfois difficile mais toujours réalisé avec amour et dans un constant souci d'authenticité. Il n'est pas un détail d'accastillage, pas une couleur de peinture qui ne soient conformes au *Kurun* des années cinquante.

Cette fois ça y est, le *Kurun* est sauvé. Il est même allé se faire admirer aux fêtes de La Trinité, l'été dernier. On le voit ici bord à bord avec un petit yacht qui lui est probablement contemporain, mais dont la voile à corne fortement apiquée, proche du houari, tranche déjà avec son propre gréement plus apparenté à celui des voiliers de pêche.

est d'autant plus vive que Paul Farge — son second et dernier équipier, du Maroc jusqu'à Tahiti — qui vit actuellement en Nouvelle-Zélande, a tenu à faire le déplacement.

Bien sûr, quarante ans plus tard, les deux hommes ont oublié leurs querelles, leurs divergences de caractère. A bord du *Kurun*, ils étaient comme l'eau et le feu : "C'était un intarissable bavard. J'aimais le silence. Il parlait et tranchait de tout. J'aimais la réserve." Aujourd'hui tous deux s'amusent de leurs différends. "Un jour, raconte celui que son ancien équipier n'appelle plus que "Capitaine Bligh", je l'ai enguirlandé parce que de nuit il était monté sur le pont avec une lampe électrique. Une lampe électrique sur un voilier pur ! Une autre fois, il avait rayé le bord du compas avec un objet pointu parce qu'il ne voyait pas la ligne de foi. Quand je m'en suis aperçu, je lui ai dit : Farge, si vous touchez encore aux instruments, je vous casse la gueule !"

Et l'équipier turbulent de rétorquer, comme pour excuser ses bourdes : "Je connaissais bien la voile, mais uniquement

sur le lac Léman. Je n'avais jamais navigué en mer et à plus forte raison fait de grandes traversées. Le plus difficile pour moi, c'était le froid et le manque de sommeil. A part cela, contrairement à ce que l'on pourrait croire, la grande aventure, c'est plutôt pantouflard. C'est la routine. Nous faisions des quarts de six heures,

Le jour de la présentation officielle du voilier restauré, Jacques-Yves Le Toumelin se rend à bord de *Kurun* en compagnie de son épouse et de Paul Farge, son ancien équipier.

toujours les mêmes, de sorte que Jacques et moi, nous ne nous voyions pas souvent en mer. C'est à terre que nous avions le plus de contacts. Là, il me faisait travailler comme un nègre !"

Contrairement à son capitaine, Paul Farge était un aventurier dans l'âme. Après deux années de bureau à Tahiti, il a de nouveau la bougeotte. Il fait la connaissance de Marcel Bardiaux, navigue avec une kyrielle de risque-tout, se construit son propre bateau, fait naufrage... une vie digne d'Henry de Monfreid.

Alors que Paul Farge s'en est retourné en Nouvelle-Zélande, le *Kurun* prend la mer, participe aux rassemblements de voiliers traditionnels — il est inscrit au concours "Bateaux des côtes de France" — avec à son bord des disciples enthousiastes qui tentent de retenir les leçons de leur maître... absent : pas facile de remuer onze tonnes à la godille !

Loin de toute cette agitation, le sage du Croisic qui, en mer, se plaisait à relire Platon, la Bible et le Coran, poursuit sa silencieuse méditation. "Eh oui, avoue-t-il, je suis solitaire avant d'être marin". ■

Grâce aux instructions de Le Toumelin qui avait étiqueté toutes les manœuvres et pièces d'accastillage lors du désarmement de son bateau, le *Kurun* a pu être réarmé sans difficultés. Noter les dimensions impressionnantes de la bitte d'amarrage et du guindeau qui évoquent davantage le voilier de travail que le yacht. Remarquer aussi, à l'intérieur, la profusion des tiroirs — il y en a trente et un — qui permettent un rangement rationnel.

Kurun

Sloup à corne de Jacques-Yves Le Toumelin.

Plan relevé par M. Caudrelier d'après les plans originaux de Henri Dervin et édité par l'Association des amis du Musée de la Marine (Palais de Chaillot, Paris XVIᵉ).

Longueur entre perpendiculaires :	10 m
Longueur à la flottaison :	8,36 m
Largeur au fort :	3,55 m
Largeur à la flottaison :	3,20 m
Tirant d'eau :	1,60 m
Déplacement :	8,5 t
Quille en fonte :	1900 kg
Grand voile normale :	38 m²
Grand voile retaillée à Panama :	32,5 m²
Trinquette :	9 m²
Foc n° 2 :	11,25 m²
Flèche :	11,75 m²

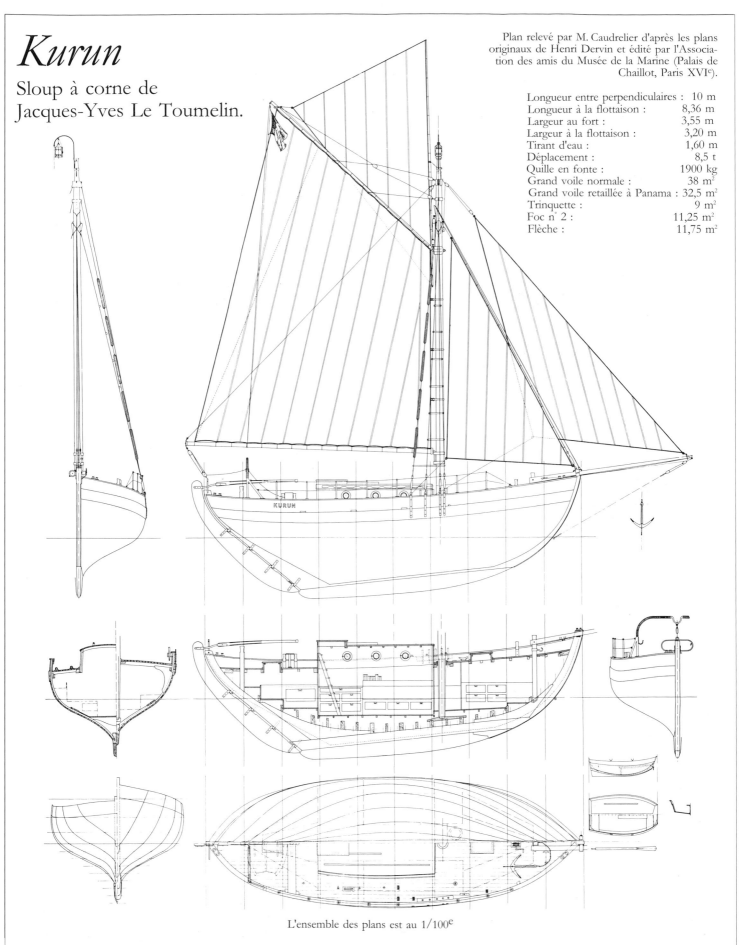

L'ensemble des plans est au 1/100ᵉ

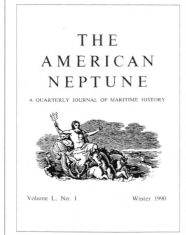

The American Neptune

C'est en janvier 1941, en pleine guerre, que sort le premier numéro de *The American Neptune,* grâce à une subvention de quinze cents dollars accordée par la Carnegie Corporation. L'idée de ce trimestriel consacré à l'histoire maritime revient au journaliste Lincoln Colcord qui, dès 1939, défend ce projet devant l'assemblée générale annuelle des amis du Peabody Museum.

Une société éditrice est créée pour la circonstance, dont le président est un historien maritime de renom, Samuel Eliot Morison, et le secrétaire-trésorier Walter Whitehill, directeur-adjoint du Peabody Museum. C'est dans le bureau de celui-ci que se réunit la rédaction qui, outre Colcord et Whitehill, est composée de l'architecte naval Howard I. Chapelle, de Marion V. Brewington, un banquier de Philadelphie, et de Vernon D. Tate, un archiviste plus spécialement chargé de la rubrique bibliographique.

Le premier comité de rédaction compte plusieurs historiens, mais aussi des bibliothécaires, des officiers de marine, des marins professionnels, des chercheurs faisant du collectage, des gens attachés aux musées maritimes et de purs amateurs. Dans l'ensemble, on y trouve alors assez peu d'universitaires.

L'éditorial de la première livraison définit les limites de la revue et précise sa politique rédactionnelle. Bien sûr, l'histoire maritime des Etats-Unis sera privilégiée mais *The American Neptune* se promet d'aborder aussi celle du Canada et de l'Amérique du Sud, sans négliger à l'occasion les pays européens. Cherchant un équilibre entre les articles techniques rigoureux et les sujets généraux d'accès plus facile, la rédaction souhaite "maintenir au plus haut niveau possible la rigueur et le style, tout en s'efforçant, avec la même énergie, d'éviter que le journal ne devienne ennuyeux."

On l'imagine aisément, les difficultés inhérentes à la guerre ne vont pas faciliter le lancement de cette publication que d'aucuns considèrent alors avec condescendance comme la petite sœur américaine du *Mariner's Mirror* britannique. La rédaction, dont fait désormais partie Morison, est vite confrontée à des problèmes d'approvisionnement de papier qui l'obligent à réduire la pagination, voire à espacer les livraisons. Elle doit aussi suivre son directeur à Washington, Whitehill ayant été rappelé sous les drapeaux et affecté aux Archives de la Marine.

En 1946, celui-ci est rendu à la pendant des semaines, apparaissant à l'improviste dans des parages connus seulement de ses officiers supérieurs. Croisant dans les eaux sombres de l'Atlantique, se faufilant entre les pics et les canyons sous-marins, il est sans cesse resté en veille. Bien sûr, il sera tôt ou tard rejoint par d'autres navires tout aussi puissants. Mais qui sait quels miracles accomplira le vieux *Neptune* durant les vingt prochaines années ?"

Dodge va tenir la barre pendant dix-huit ans, une période durant laquelle l'orientation impavide de la revue fera l'unanimité de ses collaborateurs. Ensuite, l'histoire navale et maritime est traversée par différents courants; de nouveaux sujets apparaissent, de nouvelles méthodologies se font jour, dont les résultats sont plus ou moins heureux. On en arrive à polémiquer sur l'usage des notes en bas de page, que certains considèrent comme une véritable "maladie" d'historiens.

Lorsque John Carter — actuel

vie civile et nommé directeur du Boston Athenaeum. *The American Neptune* le suit dans cette ville et ne reviendra à Salem qu'en 1951, quand Ernest Dodge — nouveau directeur du Peabody Museum — partage avec Whitehill la responsabilité de la rédaction. Entre-temps, l'équipe a perdu son fondateur : Colcord est décédé en 1947.

Dressant pour ses lecteurs le bilan d'une décennie, Dodge avoue : "Nous aimons la coupe de notre foc", et décide donc de continuer sur la même voie.

Dix ans plus tard (1961), il fait le même constat. "Il y a vingt ans, écrit-il, nous ne pouvions réaliser — et c'est encore difficile aujourd'hui — que nous avions, caché sous la mer, un navire si redoutable qu'il était capable à lui tout seul de la plus effrayante destruction que le monde ait jamais connue, sans jamais faire surface directeur du musée maritime de Philadelphie — prend les commandes du journal, en 1980, la vénérable institution est vraiment passée dans de nouvelles mains. En effet, la génération de ses fondateurs est pratiquement éteinte : Chapelle meurt en 1975, Morison l'année suivante, Whitehill en 1978 et Dodge en 1980.

Ceux-ci n'auraient cependant pas à rougir de la revue actuelle. L'inamovible couverture accueille toujours Neptune et son trident — Benjamin Franklin qui l'accompagnait au tout début avait disparu dès la troisième livraison — et *The American Neptune* est désormais une publication érudite de très haut niveau dont la plupart des collaborateurs sont des historiens professionnels. Cette évolution tient surtout au souci de rigueur dont ne s'est jamais départi la rédaction, et au fait que l'histoire maritime qui était autrefois la passion de quelques hommes est aujourd'hui devenue pour beaucoup un métier.

Une récente analyse des sommaires de ces dernières années fait apparaître que la moitié des articles sont consacrés aux Etats-Unis, tandis que quinze pour cent concernent la Grande-Bretagne, le reste étant équitablement réparti entre les autres pays du continent américain, d'Europe et d'Asie. Cela correspond très précisément à la répartition géographique annoncée dans le premier numéro. L'étude du contenu montre en revanche que plusieurs rubriques auxquelles étaient attachés les fondateurs — littérature, traditions, actualité, questions-réponses — ont peu à peu été abandonnées.

Concluant l'article qu'il consacre au cinquantenaire de la revue dont il assume aujourd'hui la direction, Timothy J. Runyan écrit toutefois : "Désormais notre tâche est d'embrasser de nouveaux domaines : archéologie sous-marine, histoire sociale, démographie, sans oublier le meilleur de notre passé, à savoir l'histoire de la mer, c'est-à-dire celle des hommes, de leurs bateaux et de leurs vies."

The American Neptune
Peabody Museum of Salem
East India Square
Salem MA 01970

Sur vos tablettes

- Jusqu'au 30 novembre, à Toulon, place Monsenergue, exposition "Guillotin (1814-1861), carnets de voyages".

- Jusqu'au 28 décembre, aux Archives départementales, à Rouen, exposition "Les Hauts Normands et la mer".

- Du 26 octobre au 10 novembre, à Dieppe, "Festival de l'image de mer".

- Du 12 au 17 novembre, à Toulon, XXIIIe Festival international du film maritime et d'exploration et 1er Salon des technologies maritimes et sous-marines.

- Du 5 décembre au 5 mars, au Musée de la marine de Paris, exposition sur les "Paquebots de légende".

- Du 6 au 16 décembre, à Paris, Salon nautique.

En bateau

"Oh ! Mettre à la mer, aux vents, aux vagues / Ma vie ! / Saler de l'écume rebroussée par les vents / Mon goût des grands voyages. / Fouetter de verges d'eau les chairs de mon aventure..." Il n'est pas de plus belle exergue à l'exposition *En bateau* que ces vers vivifiants de Fernando Pessoa.

Après avoir pris le train — exposition et livre consacrés aux chemins de fer à travers le monde —, la Mission du patrimoine photographique a décidé de prendre la mer. Cette grande croisière, autour du monde et à travers le temps, couvre cent cinquante ans de photographies consacrées aux bateaux mais aussi à la vie maritime sous tous ses aspects : vie à bord, chantiers navals, scènes portuaires, etc.

Si on y note une prédilection pour les grands navires, c'est sans doute qu'ils portent dans leurs flancs des rêves d'évasion propres à émouvoir les photographes. Quel artiste resterait insensible à la beauté des carènes de paquebots, au raffinement de leurs aménagements et surtout à l'atmosphère surréaliste de ces cités pérégrines où le sybaritisme semble s'exacerber ?

On l'a compris, il s'agit là d'une

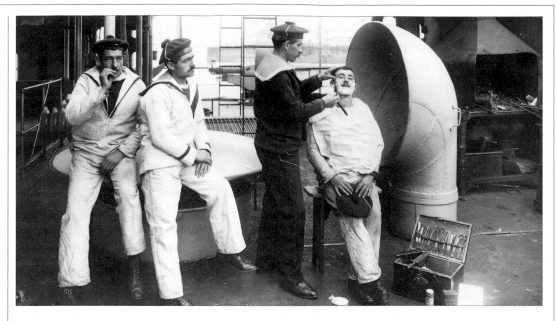

exposition d'art sans prétention ethnographique — même si nombre de documents ont valeur de témoignages. Le thème du bateau est trop vaste pour être cerné en deux cent dix photographies couvrant un siècle et demi — de 1840 à nos jours — d'histoire maritime. Le seul critère de choix qui a prévalu est celui de l'esthétique.

Parmi les cent un photographes représentés, on trouve naturellement quelques grands maîtres de l'image fixe, comme Brassaï, Man Ray, Lartigue ou Doisneau,

quelques artisans éclairés comme de Thézac, mais aussi plusieurs anonymes qui se sont trouvés là où il fallait, quand il le fallait : sur le pont d'un navire quand le barbier rasait l'équipage, sur le quai d'une gare maritime quand le lamaneur lançait sa touline, sur la cale d'un chantier quand le navire s'élançait vers les flots.

Cette remarquable exposition — qui fait l'objet d'un livre coédité par l'Association pour la diffusion du patrimoine photographique et La Manufacture — est présentée

jusqu'au 4 novembre au Palais de Tokyo, à Paris. Elle sera ensuite acheminée vers les Côtes-d'Armor où l'Office départemental de développement culturel la présentera au public (décembre et janvier, Place du Chai, à Saint-Brieuc).

En bateau
Office départemental
de développement culturel
Place du Général-de-Gaulle
BP 2371
22023 Saint-Brieuc
96 62 62 22

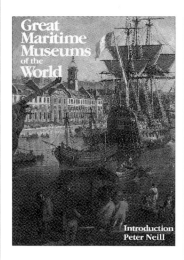

Le tour du monde des musées maritimes

Peter Neill, président du South Street seaport museum de New York et auteur de plusieurs ouvrages sur le patrimoine maritime américain, a eu l'excellente idée de réunir dans un même album les

plus grands musées maritimes du monde. Pour ce faire, il a sélectionné une quarantaine d'établissements et demandé à chaque conservateur de présenter le sien.

Vingt-quatre d'entre eux ont répondu à son appel et les *Great maritime museums of the world* se limitent donc à ce nombre et ne représentent que treize pays. Le lecteur pourra regretter ce procédé éditorial. Il s'étonnera, par exemple, que l'Italie soit totalement absente de ce livre, de même que le musée d'Exeter qui possède pourtant la collection la plus complète de bateaux du monde, ou encore le port-musée d'Enkhuizen écarté, semble-t-il, parce que son propos n'est pas strictement limité au thème maritime.

Ces réserves faites, ne boudons pas notre plaisir de voir réunies quelques-unes des plus belles collections maritimes de la planète. En quelque trois cents photographies, dont la plupart en couleur, voici un éblouissant défilé de ba-

teaux, répliques, maquettes, peintures, figures de proue, portulans, instruments de navigation, scrimshaws, etc. Autant d'objets qui, depuis la préhistoire jusqu'à nos jours, sont les signes d'un dialogue universel entre l'homme et la mer.

"Les objets de ces collections, écrit Peter Neill, de l'outil le plus simple au trésor le plus ouvragé, évoquent un événement spécifique ou reflètent le talent d'une main particulière. Ils sont la langue d'un peuple, d'une communauté littorale. Mais ce ne sont pas tant les différences qui nous frappent que les similitudes entre des cultures géographiquement aussi éloignées. Cela s'explique par le fait qu'il s'agit de musées maritimes, qui doivent par conséquent regarder vers l'extérieur, au-delà de la mer, vers un horizon qui s'ouvre forcément sur une autre terre, un autre port d'escale, une autre langue, une autre culture."

Cet aspect est d'autant mieux

perçu que l'ouvrage est organisé selon l'ordre alphabétique des pays représentés. Un tour du monde en zigzag qui n'empêche pas toutefois de repérer quelques thèmes majeurs soulignés par l'auteur : la pêche, le commerce, la guerre, l'exploration, l'architecture navale, la navigation, les migrations, les métiers maritimes.

Les lecteurs français de ce livre — écrit en anglais — dont la jaquette représente le port de Brest peint par Jean-François Hue, auront enfin la joie d'y découvrir trois de leurs musées maritimes : le Musée du bateau de Douarnenez, le Musée de la marine de Paris et le Musée de la pêche de Concarneau. Ce bel album de trois cents pages est en vente dans ces établissements (prix normal, 390F; pour les adhérents, 300F).

Great maritime museums of the world
Balsam Press, Inc.

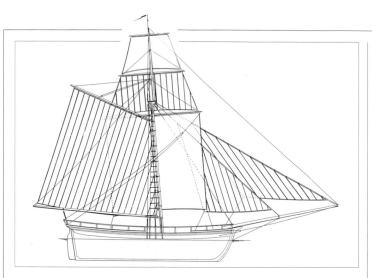

Le sloup à huniers de Charente

Dans le sillage du concours "Bateaux des côtes de France", une nouvelle association s'est constituée à La Rochelle pour promouvoir la construction d'un sloup à huniers de Charente. Le projet, porté par les défenseurs des "Bateaux traditionnels d'entre Loire et Gironde" (une des premières associations françaises à avoir œuvré dans ce domaine) et soutenu par le Centre international de la mer de Rochefort, demandera aux charpentiers six mois de travail intensif.

Cette réplique d'un caboteur du siècle dernier est en effet de taille respectable : 15,80 mètres de longueur (27,50 m hors tout en raison du très long bout-dehors) pour 4,45 mètres de bau et 20,50 mètres de tirant d'air. Comparé à cette hauteur impressionnante, le tirant d'eau de 1,80 mètre semble dérisoire mais ce type de bateau se devait pouvoir remonter le fleuve jusqu'à Saintes.

Avant le développement du réseau routier et l'invention du chemin de fer, la Charente est la voie de communication naturelle pour l'exportation des denrées de l'intérieur. C'est ainsi que dès le XVIIe siècle, de nombreuses barques de cabotage descendent le fleuve, les cales bourrées de pierres de taille, de papier d'Angoulême, de bois de construction ou de chauffage, de fagots destinés aux fours des boulangers, de vin, d'eau-de-vie... Elles se bornent le plus souvent à rallier les îles de Ré et d'Oléron, ou les ports de Vendée et du pays nantais; toutefois, il arrive aussi que les plus fortes embarcations remontent jusqu'en Bretagne Nord, en Angleterre, voire aux Pays-Bas.

C'est au cours du XVIIIe siècle que les trois quarts de ces barques adoptent le gréement de sloup à huniers. Les voiles hautes — hunier et perroquet — sont particulièrement appréciées en rivière pour capter les vents d'altitude passant par-dessus les rideaux d'arbres plantés sur les rives. Sans doute est-ce la raison pour laquelle ce type de gréement persiste en Charente plus longtemps que dans d'autres régions, comme la Normandie ou la Bretagne, où le flèche aurique remplace bientôt le hunier.

Il faudra attendre l'année 1925 pour que le dernier "sloup garni" disparaisse du fleuve. Ces voiliers particulièrement robustes — le *Saint-Joseph* a travaillé quatre-vingt-douze ans, de 1824 à 1916 — étaient construits à Port-d'Envaux, Saint-Savinien ou Taillebourg, et inscrits aux quartiers maritimes de Saintes ou de Rochefort. Ils étaient armés, selon leur taille, par deux à quatre hommes.

Lorsque la navigation fluviale est tombée en désuétude, la flottille des caboteurs de Charente s'est évidemment réduite en peau de chagrin. Alors que l'on comptait environ cent trente sloups à huniers dans le courant du XVIIIe siècle, il ne s'en construit plus aucun après 1861 et le quartier maritime de Saintes est supprimé en 1893.

Reconstruire un tel bateau est un véritable défi, mais les collectivités locales qui ont accueilli ce projet avec enthousiasme — notamment la commune de Saint-Savinien où sera établi le chantier — ont bien compris que leur région ne pouvait avoir meilleur ambassadeur que ce prestigieux voilier. La récente venue des deux bisquines à La Rochelle et leur remontée de l'étier de Brouage n'ont bien sûr pas manqué de conforter cette intuition !

Quant à l'association "Bateaux traditionnels d'entre Loire et Gironde", elle inscrit ce projet dans un ensemble plus vaste puisqu'elle milite également pour la réhabilitation de l'ancien site portuaire des Portes-en-Ré qui doit être transformé en un port-musée présentant les bateaux traditionnels de la région. Le site accueillera également une "Maison des pertuis" où seront exposés les savoirfaire et les techniques maritimes, et un centre d'apprentissage et de formation à la construction navale. Les travaux doivent en principe commencer dès l'été prochain et la réouverture du port est prévue en 1994 ou 1995.

Sloup à huniers de Charente
2, rue du Loup Marin
17000 La Rochelle
46 41 30 00

Objectif mer

Bien que Noirmoutier ne soit plus tout à fait une île depuis la construction du pont qui la relie au continent, il faut y être particulièrement enraciné pour songer à y fonder une société de production audiovisuelle. C'est pourtant le choix qu'ont fait, en 1989, le réalisateur Laurent Billard et le photographe Thierry Bourdiec. Et pour transformer ce handicap en avantage, ils ont naturellement orienté leur caméra vers la mer.

Le premier film de Bilbo Production était d'ailleurs consacré au caboteur allemand *Activ — Samba pour un trois mâts* a été tourné à Douarnenez 88, avant la création officielle de la société. Le ton était donné et depuis lors l'équipe noirmoutrine s'est fait une spécialité du reportage maritime.

À quelques exceptions près — dont un portrait du réalisateur nantais Jacques Demy — tous ses courts et moyens métrages sont consacrés à une activité maritime. La plupart de ces réalisations sont des travaux de commande, ce qui bride forcément la liberté d'expression mais assure les moyens nécessaires à un travail professionnel.

Bilbo Production apparaît donc comme un instrument performant au service des marins. C'est ainsi que le Comité local des pêches et l'organisation des producteurs de l'île d'Yeu lui ont commandé un documentaire de onze minutes sur la pêche au thon, pour défendre leur métier — contesté par les écologistes et la presse à scandale, et agressé par les canneurs espagnols — devant les experts de Bruxelles. Les mêmes commanditaires ont également financé le tournage d'un moyen métrage présentant les différents métiers

pratiqués par les pêcheurs de l'île d'Yeu; cette bande a été primée "Cassette d'or" au festival du film d'entreprise des Sables-d'Olonne.

Au catalogue de Bilbo, on relève encore un documentaire commandé par le Musée de la charpente navale de Noirmoutier — *Le chêne ou l'herminette* — et un autre financé par la Cité des sciences de La Villette dans le cadre de l'opération "Naissance d'un bateau" — *Le gréeur mateloteur*.

Mais il arrive aussi que l'entreprise se jette à l'eau et produise elle-même ses cassettes. C'est le cas du sujet qu'elle a récemment tourné sur le modélisme naval. Cette bande de vingt-six minutes, joliment intitulée *La mer au bout des doigts*, brosse le portrait de quatre maquettistes qui présentent leurs techniques et savent l'art de communiquer leur passion.

Bilbo Production
49, rue de la Pierrière
85330 Noirmoutier
51 39 51 00

Dossier pointu

Le concours "Bateaux des côtes de France" n'a pas seulement donné de l'ouvrage aux charpentiers. Il a aussi fait travailler les méninges des associations qui se sont ingéniées à présenter des dossiers tout à la fois sérieux et originaux. Parfois même, les concepteurs de ces dossiers sont allés au-delà : ils ont voulu, à ce stade préliminaire de leur projet, faire une véritable œuvre d'art à l'image du bateau dont la construction était envisagée.

C'est ainsi qu'un beau jour, nous avons reçu un volumineux paquet rectangulaire de un mètre de long sur soixante centimètres de large, dont le poids excédait largement celui du papier, fût-il glacé. Ce dossier-là était en bois massif ! Son couvercle était divisé en quinze petits panneaux carrés et huit d'entre eux étaient magnifiquement sculptés. Monstres marins, angelots, écussons fleurdelisés ne nous mettaient guère sur la voie; par contre, la présence d'un bateau à voile latine et celle de deux amphores nous laissaient soupçonner que l'artiste qui avait tenu la gouge devait avoir l'accent du midi plutôt que celui du Nord.

Il fallait ouvrir cette boîte magique pour en percer le mystère. Dans un tel écrin, nous nous attendions certes à trouver un dossier bien soigné, mais de là à imaginer les trésors qu'il recelait !

Le précieux coffret contenait un grand cahier de même format,

intitulé : "Les pointus à voile latine de Raphaël Autiéro, charpentier de marine depuis 1932 à Saint-Aygulf-Fréjus, Côte d'Azur".

Cette fois nous étions fixés. Mais les auteurs de ce chef-d'œuvre avaient vraiment bien fait les choses, car en feuilletant ce carnet de dessin richement calligraphié, c'est tout le patrimoine maritime local qui nous était offert : les outils du charpentier, son atelier, les plans complets du pointu, les manœuvres de la voile latine, et plusieurs planches consacrées aux différentes pêches artisanales pratiquées à bord de ces bateaux dans le golfe de Saint-Aygulf et aux espèces recherchées. La qualité de ce recueil était telle qu'on lui ferait injure en l'appelant dossier.

Mais ce n'est pas tout ! L'association Voile latine Saint-Aygulf-Fréjus nous a aussi adressé un press-book sur la construction de son pointu, un mémoire de maîtrise d'ethnologie de cent trente pages intitulé "Histoires de coques en bois... Pérégrinations méditerranéennes chez des charpentiers de

marine", trois heures d'interview de Raphaël Autiéro enregistrées sur cassettes et une remarquable bande vidéo réalisée par un atelier professionnel... excusez du peu !

Ces différents supports rendent à leur manière un vibrant hommage au travail du dernier charpentier de Saint-Aygulf qui, à l'âge de quatre-vingt-deux ans, a construit pour l'association son centième pointu. Long de 5,75 mètres (23 pans), pour 2,20 mètres de large et 40 centimètres de tirant d'eau, le *Saint-Aygulf* défendra les couleurs du Var à Brest 92. Ce premier bateau armé aux avirons a été financé par l'Office de tourisme, la municipalité de Fréjus — elle a payé le bois et prendra à sa charge le transport vers la Bretagne — et plusieurs commanditaires. Ensuite, il est prévu de construire une seconde unité qui cette fois sera dotée d'une voile latine. Bravo les Varois !

Voile latine St-Aygulf-Fréjus
Louis Thomas
Place de la Poste
83370 Saint-Aygulf
94 81 22 30

Paul Helleu (1859-1927)

Bien qu'il soit né à Vannes et qu'il ait conservé des attaches dans le Morbihan où sa mère,

d'origine parisienne, exploitait la propriété familiale, Paul Helleu n'a guère peint les paysages de cette région, non plus que la vie maritime qui, à cette époque, ne manquait pourtant pas d'attraits.

Car la véritable patrie de ce dandy anglophile était la "haute société". Aussi doit-il surtout sa renommée aux délicats portraits gravés de femmes et d'enfants dont il s'était fait une véritable spécialité. Partageant les mœurs des nantis, cet ami de Proust — il inspira le personnage de Elstir dans *A la recherche du temps perdu* — aura aussi une véritable passion pour le yachting, alors très en vogue dans le milieu qu'il fréquente.

Ce goût lui vaut de naviguer à bord de quelques-uns de ces immenses yachts qui, au début du

siècle, rivalisaient de vitesse et d'élégance. Il lui inspire aussi de nombreuses toiles dont la luminosité ne laisse pas d'évoquer les impressionnistes. Bien qu'il ait été davantage attiré par les fastes du Tout-Paris et la Normandie où cette élite venait en villégiature, le Musée de la Cohue de Vannes a choisi de rendre hommage à l'enfant du pays. Une exposition lui a été consacrée cet été, qui a fait l'objet d'un très joli catalogue dont la maquette, toute de grâce et d'élégance, aurait sûrement séduit l'artiste raffiné qu'était Paul Helleu.

La Cohue
Musée de Vannes
9 et 15 Place Saint-Pierre
56000 Vannes
97 47 35 86

Bouteilles à la mer

"On estime que plus de six milliards d'objets, dont 65 à 75% en plastique, flottent actuellement sur les mers, tandis que 30% des poissons pêchés ont ingéré du plastique." Ces informations alarmantes, diffusées par l'association "Défense du littoral méditerranéen", n'ont d'autre but que de sensibiliser le public au problème lancinant de la pollution des mers.

"Les dépôts de détritus de ce siècle pèsent gravement sur l'écosystème de la Méditerranée et cette pollution menace toute forme de vie", affirme l'association qui compte déjà un millier d'adhérents.

Ce n'est sûrement pas la Confédération mondiale des activités subaquatiques qui démentira. Cet organisme créé en 1959 regroupe quatre millions et demi de plongeurs, répartis dans quatre-vingt-trois pays, qui sont aux premières loges pour constater les ravages de la pollution dont les détritus littoraux ne sont que la partie émergée de l'iceberg.

Concrètement, l'ensemble des fédérations du pourtour méditerranéen va établir une véritable cartographie de la pollution. Les plongeurs vont observer les fonds, noter la présence des déchets, photographier les zones atteintes. Toutes ces données seront ensuite confiées, pour analyse et synthèse, au Centre d'études et de recherches de biologie et d'océanographie médicale de Nice.

Convaincue que "la dégradation continue de l'écologie marine n'est pas une fatalité", la Cmas a également décidé de créer un Grand prix international de l'environnement marin. Cette dotation de cinquante mille francs récompensera "toute personne dont l'œuvre contribue de façon significative à la protection du monde marin". Le premier prix sera attribué en mai 1992 et les candidatures peuvent être adressées dès maintenant au siège de la confédération.

Défense du littoral méditerranéen
9, rue Victor Antherieu
34110 Frontignan
Confédération mondiale des activités subaquatiques
47, rue du Commerce
75015 Paris
45 75 42 75

Des bateaux de la Tamise dans le Nivernais

Après avoir parcouru le canal de Nantes à Brest voici deux ans, c'est le canal du Nivernais que cette année nous avions choisi d'explorer à bord de nos embarcations traditionnelles de la Tamise. C'est ainsi que trente membres de la Thames traditional boat society se sont retrouvés à Baye. Après le voyage du Havre, épuisant en raison de la chaleur, nous avons apprécié le calme de cette région et la douceur du soleil de fin de journée scintillant sur le plan d'eau.

Nos douze bateaux convoyés sur quatre remorques se composaient de neuf skiffs de la Tamise, de deux gigs et d'un canoë canadien Lakefield. Bien que skiffs et gigs se ressemblent, ils se distinguent par quelques traits marquants.

La gig dérive du wherry de la Tamise avec une influence de la marine de guerre. Elle est bordée à clins et possède des plat-bords rectilignes avec des portières de nage, et son étrave est verticale.

Quant au skiff, très populaire dans les années 1870, il est probablement une évolution de la gig à laquelle il emprunte la légèreté de la construction à clins. En revanche, ses extrémités évoquent davantage le wherry dont il a adopté le tableau arrière étroit. La dernière virure est rehaussée de "bosses de nage" (avec portières) aux courbes élégantes.

Ces bateaux étaient généralement construits en acajou et en chêne, le spruce étant réservé aux espars. Le chevillage était en cuivre et la bande molle en fer. Désormais, la plupart de ces bateaux sont à deux bancs de nage, mais il en existe aussi des versions pour un ou trois rameurs. A la grande époque du canotage, les facilités offertes par le chemin de fer ont fait de ces embarcations un loisir très populaire.

Le lendemain de notre arrivée, les nuages du matin se dissipaient pour céder la place à un soleil ardent qui allait briller jusqu'au soir. Les Amis du Nivernais qui nous attendaient — nous les avions accueillis chez nous auparavant — organisèrent une petite réception à notre intention. Ils firent des vœux pour que cette randonnée de dix jours, entre Baye et Mailly-la-Ville, se déroule pour le mieux.

A deux heures de l'après-midi, nous pouvons enfin partir. Les rives verdoyantes du canal défilent, dont les arbres surplombent nos petites embarcations. Bientôt, nous devons emprunter une succession de trois tunnels dont l'obscurité incite nos rameurs les plus musiciens à entonner une chanson. Curieuse impression, après l'éclat du soleil, que d'être ainsi plongé dans une ombre fantômatique trouée par les pinceaux des projecteurs éclairant le chemin de halage... sans compter l'écho des voix renvoyé par les murailles.

Dehors, nous retrouvons la lumière du jour, mais les seize écluses de Sardy nous attendent. Comme nous sommes les seuls bateaux dans la région, les écluses nous appartiennent. Nous ramons nonchalamment de l'une à l'autre et avons toujours plaisir à voir les éclusiers nous ouvrir la voie. Ce sont souvent des étudiants qui ont trouvé là leur job d'été.

Malheureusement, il ne nous est pas possible de planter notre tente à Sardy. Le terrain de camping, qui se trouve en bordure du canal, est fermé pour la bonne raison qu'à cet endroit le canal a été asséché pour deux ans.

Il ne nous reste donc plus qu'à dormir dans nos embarcations, à la manière de *Trois hommes dans un bateau* de Jerome K. Jerome. Il nous suffit pour cela d'installer une toile idoine tendue sur des arceaux métalliques prenant appui sur les plats-bords. Des pans de toile peuvent bien sûr être repliés pour ménager un accès à l'intérieur. Et si l'on désire s'allonger, rien n'est plus simple que d'enlever le banc central. Ainsi dispose-t-on d'une chambre basse — on ne peut s'y tenir debout — longue, étroite, et dont le plancher se dérobe sous vos pas lorsqu'il vous vient l'idée saugrenue de vous y déplacer. Toutefois, si d'aventure les ronflements de vos voisins ne vous gênent pas, vous disposez là d'un logement très confortable.

Ainsi gréée, notre flottille avait l'air d'un train de wagons bâchés paré pour le grand large. Nous nous félicitions pourtant d'avoir pris ces tauds, car, même pendant la journée, lorsque le soleil cuisait, nous en faisions d'agréables parasols en roulant les côtés et le devant. Cela mettait les barreurs à l'abri et donnait aussi un peu d'ombre aux rameurs. La bâche peut également protéger de la pluie; en revanche, il est difficile de la conserver lorsque le vent se lève.

Comme les chemins de halage sont ici très bien entretenus, il nous est facile de les utiliser en tant que tels. Pour ce faire, nous emplantons un mât dans l'étambrai du banc avant et nous frappons une aussière à sa tête, ce qui évite d'être gêné par les broussailles éventuelles dans lesquelles elle risquerait sans cela de s'accrocher. Il suffit alors au barreur d'abattre légèrement, pour maintenir le bateau à distance de la berge. Rentrer les avirons de temps en temps pour faire un bout de chemin à pied est très agréable lorsque le halage ne présente pas de difficultés particulières.

Il nous arrive aussi de gréer la

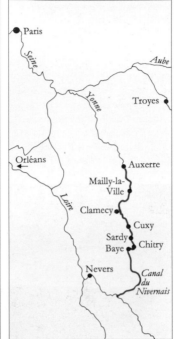

voile lorsque le vent est favorable. Sous leur misaine établie, nos bateaux offrent un spectacle des plus flatteurs. Ainsi pouvons-nous apprécier le calme du canal, entendre le chant des oiseaux, contempler le vol plané des vautours et des buses — dont nous avions déploré l'absence sur le canal de Nantes à Brest, voici deux ans. A notre grande surprise, nous voyons en revanche très peu de canards, et

les rares spécimens que nous rencontrons semblent terrifiés et s'enfuient à notre approche. Pourtant, généralement, les animaux sauvages ne craignent pas nos bateaux non motorisés.

Que dire encore ? Une bienfaisante ondée à Chitry, une cave à vin visitée à Cuxy, un barbecue à Villiers-sur-Yonne, la découverte d'une montgolfière s'élevant lentement de la rive, celle d'une cité à

flanc de coteau s'estompant dans une bruine vaporeuse, la jolie ville de Clamecy...

A Mailly-la-Ville, terme de notre randonnée, les Amis du Nivernais nous attendaient pour une dernière fête. Le lendemain, nos bateaux étaient chargés sur leurs remorques pour leur retour sur la Tamise.

Jean Wheeler,
Winchester (Angleterre)

Chapeau la *Pauline* ! En moins de deux ans, une équipe de Dahouëtins aussi sympathique qu'efficace a réussi la bagatelle de redécouvrir l'existence d'un type de bateau plein d'intérêt et pourtant méconnu, d'en mener brillamment l'étude, de trouver le financement et de le faire construire de belle façon chez Clochet à Plouguiel, de le lancer au cours d'une fête réussie en intéressant toute la population, avant de promener sa jolie silhouette noire et blanche de flambart-pilote en tête de toutes les régates courues cet été en Bretagne Nord ! De la belle ouvrage vraiment, qui aurait comblé d'aise le pilote Hippolyte Guinard. Gageons que les formes élégantes de la *Pauline* en aguicheront plus d'un, et que le flambart ponté saura gagner sa dignité de bateau de travail en formant des dizaines de jeunes marins...

Rarement, petit village côtier se sera mobilisé aussi largement autour d'un projet commun. Le patrimoine maritime, lorsqu'il est aussi bien servi, se révèle un exceptionnel ferment d'enthousiasme collectif. Près de la moitié des habitants de Saint-Suliac, regroupés autour d'Aimé Lefeuvre et de ses amis, ont en effet participé d'une façon ou d'une autre à la renaissance du bateau local : la chippe, modeste outil des pêcheurs de lançon de la Rance depuis bien des générations. Joliment peint d'un bleu-gris d'époque, et baptisé *Maria,* le canot senneur à cul rond a été mis à l'eau au terme d'un cérémonial bien réglé, où les costumes étaient de sortie; puis il a fait un tour d'honneur sur la "plaine de St-Suliac", emmené à l'aviron — les fameux hamblons — par une solide équipe, avant de hisser sa voile au tiers haute et étroite et de présider au départ des régates. Une belle journée, qui a dû faire chaud au cœur à l'ami Jean Le Bot — c'est lui qui a retrouvé les plans —, dont on se souvient qu'il fut le premier, à la fin des années cinquante, à s'intéresser de près aux bateaux traditionnels du pays malouin.

Le *Pierre-Mallet,* ainsi nommé en souvenir d'un ami très cher du *Chasse-Marée,* qui fut le premier président de la fédération aquitaine pour le patrimoine maritime, sera sans doute l'une des réalisations les plus étonnantes du concours "Bateaux des côtes de France". Construit "quille" en l'air — comme un skipjack américain — à l'extérieur du chantier Raba de La Teste, ce grand dériveur de service à bouchains vifs a pu être mis à l'eau le 26 juillet dernier grâce aux efforts de la vingtaine de bénévoles et des cinq cents donateurs qui ont épaulé Christian Raba et Noël Gruet. Déjà, le bac a pu promener en toute sécurité de nombreux amateurs sur les chenaux et les esteys du bassin d'Arcachon. Et comme on pouvait s'y attendre — le plan choisi est celui d'un bac de plaisance parmi les plus élaborés (comparez cette photo avec celle du n° 54, p 57) — le nouvel ambassadeur de l'ostréiculture locale a démontré de sérieuses qualités véliques.

Il faut souvent se battre contre vents et marées pour arriver à boucler son financement, et on ne soulignera jamais assez le mérite des bénévoles qui, à force d'obstination, réussissent à surmonter l'indifférence et l'immobilisme. Grâce à l'énergie déployée par l'association et par l'équipe des charpentiers du Guip, la *Belle Angèle,* soulevée par une puissante grue, a pu rejoindre son élément à la date prévue, par une chaude journée de fin juillet. Patrick Loy, heureux propriétaire d'un Aven et cheville ouvrière de l'association avait mobilisé ses amis et c'était un vrai plaisir de voir une quinzaine de jolis canots vernis et autant de misainiers faire la haie d'honneur à la belle dame d'Aven.

Un précurseur du canot insubmersible

L'article d'Adrian G. Osler consacré à "La naissance du canot de sauvetage" (*Le Chasse-Marée* n° 57) m'a beaucoup intéressé. Toutefois, je me permets de signaler une omission : le premier précurseur français n'est pas de Bernières, dont les démonstrations ont débuté en 1775, mais Razilly qui, dès 1610, a présenté un canot insubmersible.

Pour preuve, cet extrait d'une lettre de Malherbe à Peiresc, datée du 17 juillet 1610.

"Je pensois finir cette lettre, mais il me vient de souvenir d'une chose qui est digne d'être sue : c'est qu'un nommé Razilly, gentilhomme de Poitou, a trouvé une invention de faire qu'un vaisseau percé à jour de coups de canon n'ira point à fond. La Reine voulut que l'épreuve s'en fit aux Tuileries, à porte close, en présence de M. de la Châteigneraye, capitaine de ses gardes, en une petite nacelle qui est sur l'étang, laquelle on renversa la quille en haut et y fit-on tirer quatre coups de mousquet, et de plus, M. de la Châteigneraye, pour plus d'assurance, fit, avec une cognée, mettre ces quatre trous ensemble de sorte qu'il y avoit de l'ouverture pour passer la tête, sans que pour tout cela il y entrât une seule goutte d'eau, et n'y avoit autre chose que je ne sais quoi qu'il fit mettre en l'un des bouts du vaisseau.

"Comme ils en furent sortis, il fit prendre par son homme, ce qu'il y avoit mis, et tout aussitôt il alla au fond, où il est encore. L'on ne sait que s'imaginer; la commune opinion est que cela se fait par magie; pour moi je n'en sais que dire; peut-être le saura-t-on, quand le segret aura été payé."

Razilly était un marin et il est probable qu'avec une fine cloison, il transformait "l'un des bouts" en caisse à air. Mais cette expérience s'est faite "à porte close" et dans le "segret"; elle n'est parvenue à notre connaissance que grâce à cette lettre dont on ne peut suspecter la véracité.

Cent soixante-cinq ans plus tard, de Bernières, qui avait probablement eu connaissance des travaux de son prédécesseur, a présenté à plusieurs reprises un canot insubmersible et inchavirable et ces faits ont été relatés par les journaux du temps.

Son invention pas plus que celle de Razilly n'eurent d'influence sur les constructions de canots de sauvetage. Il faudra attendre de nombreuses années pour que les Français, revenant d'Angleterre, s'intéressent vraiment à ce type d'embarcation.

En 1867, dans son volume consacré aux *Naufrages et sauvetages*, La Landelle mentionne les expériences de Razilly et de Bernières en insistant sur le fait que la France a ainsi la primeur des inventions en matière de canot de sauvetage. L'historien britannique E.W. Middleton est moins chauvin lorsqu'il écrit : "Qui donc est le véritable inventeur du canot de sauvetage ? De Bernières ? Lukin ? Wouldhave ? Greathead ? Tous peuvent en partager l'honneur et vraiment, il y a beaucoup à partager." Mais il a oublié le pauvre Razilly !

Jean Pillet, à Carantec (29)

Etoile polaire de mon cœur

Notre association recueille depuis quelques années les traditions orales des marins de la côte vendéenne, et notamment leurs chansons. Nous avons édité une série d'albums 33 tours en présentant un grand nombre, souvent encore inédites auparavant.

Nous avons également pu compulser et photocopier des cahiers de chansons rédigés par des marins-pêcheurs au début du siècle; tel celui de M. Guyon, de Saint-Hilaire-de-Riez, de 1903. Ce manuscrit comprend un très grand nombre de superbes chansons critiquant la Royale, inédites semble-t-il, illustrées par l'auteur.

Nous ne pouvons résister au plaisir de vous soumettre ce monologue, véritable petit chef-d'œuvre d'humour maritime.

"Etoile polaire de mon cœur, astre dix mille fois plus brillant
Que mon fanal de poupe et que la queue de la grande ourse,
Mademoiselle, souffrez que par trente degrés de latitude Nord
Et de longitude Ouest, je vous envoie par tribord
Et bâbord une double volée de mes sentiments d'amour.
Mon amour égale votre beauté comme la racine cubique de l'eau
Et la racine carrée de la densité du vent.
Les écubiers de mes regards, ayant contemplé à loisir vos jolis bossoirs

Et tous les gabiers de votre aimable personne
M'obligent à prendre le porte-voix de mon amour
Pour publier partout que jamais fanal de poupe ne versa plus
Ni habitacle ne fut aussi brillant que le télescope de vos yeux.
Que mes palans et mes caliornes me hissent dans les hunes de vos bonnes grâces
Je serais le plus heureux des gabiers de misaine si je peux vider mon bidon de tendresse
Dans le gamelot de votre fidélité.
Mademoiselle
Je vous prie de prendre une épissoire et un peu de suif,

Et de rendre réponse par le premier albatros venu
Passant près de votre demeure.
Si le malheur veut que je reçoive de vous une jolie petite pelote de lusin
Je serais capable de mettre le maître-coq dans la chaudière la tête la première,
De m'affaler dans la cambuse,
Et de faire des dégâts considérables
Sur-le champ,
Mademoiselle, j'embarque dans ma barque d'espérance
Pour côtoyer la rade de votre cœur. Si le malheur veut que ma barque

Ne puisse plus trouver de mouillage sur la rade de votre obéissance,
Je vous prierai de carguer au plus tôt votre voile
Pour découvrir l'aimable port de votre complaisance.
Adieu la plus aimable des beautés
Qui excite à bord des vaisseaux, frégates, bricks, bricks-goélettes, et goélettes
Et dans les quatre parties du monde des cris d'amour.
Je suis, mademoiselle, en attendant le plaisir de vous mâter en cotre,
Le capitaine commandant la ralingue, chevalier des empointures.
Vous connaissez mon adresse qui va de l'étrave jusque l'étambot.

Je suis le marquis de l'espoir,
Prince royal du goudron, à cheval sur les vergues,
En pagaille sur le pont, je demeure rue de Martingale
Arrondissement de la mailloche à fourrer, au département
Des barres de guindeau.

Cappouine, Océan Pacifique"

Si vous possédez des cahiers de chants rédigés par des marins vendéens, ou si vous êtes intéressés par nos activités et les disques que nous avons publiés, n'hésitez pas à nous joindre.

Association Sounurs Maraichânes, Tradis, 23 rue du Général de Gaulle, 85160 Saint-Jean-de-Monts

466. Claude Vincent, à Pabu (22).

Un lecteur saurait-il identifier l'auteur de ce tableau que j'ai acheté dans une vente et qui représente une scène de cueillette de goémon, probablement dans le Finistère ?

460. Michel Waller, à Bougival (78).

Je restaure une maquette de pointu de régate de La Ciotat dont une plaque de cuivre porte l'inscription "*Arriv'ra* par A. Coulomb". MM. Burlet et Damonte m'ont fourni de précieux renseignements sur le gréement d'origine de ces bateaux; en revanche j'aimerais avoir une idée du lest qu'ils utilisaient.

D'une manière générale, toutes informations sur ce monstre surtoilé à coque large et très ronde, ainsi que sur son constructeur, seront les bienvenues.

461. Michel Mazé, à Concarneau (29).

Je souhaiterais savoir ce qu'est devenu l'ancien cotre marconi de mon père. *Altaïr* mesurait 7,50 mètres de long et avait été construit au chantier Roux-Kerharo de Douarnenez, en 1950. Il a été vendu vers 1955-1956 au docteur Noël Pouliquen de Quimper.

462. Jean-Michel Durecu, à Harfleur (76).

J'aimerais connaître en détail la manœuvre du calage et du guindage d'un mât de flèche à la mer, à bord des grands cotres du style pilotes de la Manche : détail des installations, gestes à faire, fréquence et utilité réelle de la manœuvre...

463. Robert Olivier, à Draveil (91).

Je mets au net — pour moi-même et les miens — les mémoires d'un arrière-grand-oncle qui, au cours du siècle dernier, partit comme missionnaire catholique aux îles Samoa où il finit sa vie en 1909. Je serais heureux d'illustrer ce travail, qui n'est en aucune manière destiné à une publication, de photographies des navires avec lesquels il fit cette traversée en 1858-1859. Il s'agit du *Wye* (navire britannique) pour le voyage Marseille-Malte, du *Téviot* (également britannique) pour le voyage de Malte à Alexandrie (à l'époque, 1858, le canal de Suez

n'existait pas), et de l'*European* (toujours britannique) de Suez à Sydney.

De Sydney aux Samoa, mon arrière-grand-oncle voyagea (en 1859) sur un brick acheté par son évêque, la *Caroline*. Ce navire, vendu par un armateur britannique de Sydney (nom pas spécifié) s'appelait jusque-là le *Vulture* (Vautour).

Un lecteur pourrait-il me procurer des photographies ou représentations de ces quatre navires ?

464. Grégoire Sainte Fare Garnot, à Douarnenez (29).

Souhaitant écrire une étude sur Jean Merrien, écrivain de la mer et de la plaisance, je suis à la recherche de documents — écrits, témoignages, photos — sur l'activité de ce vulgarisateur de la culture maritime. La part qu'il prit, avec l'architecte naval C.-E. Chauveau, dans la conception de la série des Diables m'intéresse particulièrement.

Ce type de bateau existe-t-il encore aujourd'hui et peut-on trouver des plans de construction plus détaillés que ceux qui ont été publiés dans les ouvrages de l'écrivain ? Quelqu'un dispose-t-il de photos de construction, ou a-t-il connaissance d'anecdotes de chantier ?

Jean Merrien fut un intime de mon père et je tiens à remercier tous ceux qui m'aideront à mener cette recherche en hommage à leur amitié.

467. Christian Durand, à Hennebont (56).

En vue d'une restauration, je recherche tous documents — plans, photos, etc. — sur le Caneton et plus spécialement sur la série "restriction".

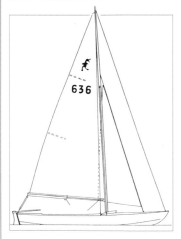

468. Patrick Le Rolle, à Cantenay-Epinard (49).

Je suis à la recherche de documents et d'informations concernant deux thoniers basés à Etel dans les années 1925-1935 : le *Rapide* et *L'Etoile de la mer*.

465. Jean-Luc Crozafon, à Paris (75).

Je serais heureux qu'un de vos lecteurs puisse me renseigner sur l'origine du bateau, dont je joins la photo, que je viens d'acquérir et de remettre en état. Nouvellement baptisé *Dépit des envieux*, il mesure 6,80 m et jauge 3,8 tx. Il est gréé en cotre. Selon le certificat de navigation, il aurait été construit après-guerre dans la région de Nantes et se serait appelé successivement *Kersaint*, *Argol*, *La Goele*...

452. Marc Gauvin, à Nantes (44), aimerait avoir des renseignements techniques sur les treuils à brasser.

• **Réponse de J.-P. Dole-Robbe, à Paris (75).**

Vous trouverez une description précise des treuils à brasser dans le premier tome de l'ouvrage de Massenet, Vallerey et Letalle : *Gréement, manœuvre et conduite du navire* (Société d'éditions géographiques maritimes et coloniales, 1938); ou dans la compilation qui en a été faite dans le livre de Jean Randier, *Les grands voiliers français* (Les quatre seigneurs, 1974).

Voici un large extrait du chapitre du "Massenet" :

"La manœuvre du brassage des vergues, lorsqu'elle s'exécute dans les conditions pratiquées jusqu'ici au moyen de palans et de cordages, nécessite, dans certaines circonstances de mer, l'emploi d'un personnel nombreux et expérimenté. D'autre part, chaque vergue nécessitant un double renvoi de cordages, il en résulte sur le pont du navire un encombrement préjudiciable à la libre circulation, en même temps que ce matériel, presque constamment en contact avec l'eau, se détériore rapidement et occasionne, par son remplacement fréquent, une dépense importante.

Le treuil à brasser a été établi en vue de remédier à ces inconvénients et de réduire la manœuvre du brassage des vergues au minimum de personnel employé et de fatigue imposée. Deux hommes au besoin suffisent à la manœuvre.

Si dans le brassage des vergues, la longueur enroulée du brassage carré à une amure était la même que celle qui se déroule, les tambours pourraient être cylindriques; mais, en réalité, elle diffère sensiblement pour chacun des bras, de même qu'elle diffère aussi pour chacune des vergues. De là, nécessité de donner aux tambours une forme conique et des diamètres différents. On conçoit que, pour tendre les bras de manœuvre des vergues aboutissant au treuil et orienter convenablement toutes les vergues d'un phare, qui deviennent solidaires les unes des autres, ces bras étant toujours sujets à des variations d'allongement, il était indispensable de pouvoir soit augmenter, soit diminuer les longueurs d'enroulement pour regagner les différences et éviter le mou pouvant résulter des manœuvres soit dans un sens, soit

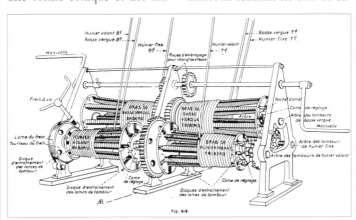

Fig. 93.

dans l'autre. C'est pour résoudre cette condition importante que l'on a été amené à construire des tambours extensibles.

L'appareil comporte trois bâtis en fonte, reliés entre eux par des entretoises et recevant dans des paliers les arbres qui portent les tambours d'enroulement et leurs engrenages de commande en acier moulé. Cet ensemble constitue deux treuils semblables accouplés dont l'un actionne les bras de bâbord et l'autre les bras de tribord.

L'appareil est à double vitesse, ce changement de vitesse se faisant par le simple déplacement de l'arbre à manivelles. Il comporte, en outre, un frein à bande actionné par une vis et une manivelle spéciales, pour permettre l'orientation libre des vergues sous l'action du vent et l'arrêt complet en un point quelconque de cette orientation.

Les tambours d'enroulement des bras sont constitués chacun par une série de huit lames en acier moulé, également espacées sur la circonférence et dont la face extérieure est garnie de cannelures appropriées au diamètre du câble. Ces lames sont simplement encastrées à leurs extrémités dans des coulisses ménagées dans les disques d'entraînement calés sur leur arbre.

Leur inclinaison est réglée au moyen de cames adossées aux disques, mais folles sur l'arbre, et dont chacune des dents supporte une lame. Ces cames permettent ainsi de déplacer simultanément et d'une quantité uniforme les huit lames de tambour et de leur donner l'inclinaison ou le diamètre nécessaire pour ne laisser aucun mou dans les bras ou assurer l'enroulement total de chaque bras.

L'installation (de cet appareil) est des plus simples, ne nécessitant que le remplacement des bras en manille ou en chanvre par des câbles métalliques de vingt millimètres de diamètre et l'emploi de huit poulies de retour à fixer en des points convenablement choisis dans la mâture."

Suivent des informations sur l'emplacement des treuils à brasser, leur montage, leur réglage et leur entretien.

Une description détaillée du passage des bras est également donnée par H.A. Underhill dans son ouvrage *Masting and rigging* qui est la meilleure source pour le passage des manœuvres.

---

447. Michel Gendrot, à Rouen (76), cherche des informations précises sur le yacht *Saoirse* de Connor O'Brien, et notamment un plan de voilure comportant la fameuse vergue de fortune carrée.

• **Réponse de J.-P. Dole-Robbe, à Paris (75).**

J'ai retrouvé un plan de voilure de *Saoirse* dans le livre d'Eric C. Hiscock intitulé *Voyaging under sail* (London Oxford university press, 1959) où l'on peut lire également une description précise du gréement.

"Lors de son voyage autour du monde (1923-1925), *Saoirse* était gréé en ketch franc. Pour ne pas avoir à raccourcir le rouf, nécessaire à un bon espace intérieur, le grand-mât avait été emplanté un peu trop en avant de sorte que la pression du vent sur les voiles avait tendance à faire enfourner le bateau. Le foc était endraillé sur un étai. La grand voile, sans bôme, était à bordure libre, mais la corne était contrôlée par une retenue frappée en tête du mât d'artimon. La voile d'artimon était une voile au tiers. A l'extrémité du beaupré de cinq pieds de long, il était possible d'envoyer un foc volant, mais le plus souvent cette voile était utilisée comme un flèche, en tête du grand-mât. La surface totale de cette voilure était de quatre-vingt-quinze mètres carrés.

En complément de cette voilure de près, *Saoirse* pouvait aussi gréer, au portant, une fortune carrée de quatre cent cinquante mètres carrés, surmontée de deux ailes de pigeon dont l'une pouvait au besoin être établie comme bonnette. O'Brian qui avait expérimenté la fortune carrée au cours de ses traversées était un ardent défenseur de ce type de gréement pour les yachts de grande croisière. Il ne cessa toutefois de modifier le gréement de son bateau pour en obtenir le meilleur rendement. *Saoirse* a ainsi été successivement gréé en ketch franc, en goélette à huniers et en brick-goélette (un phare carré à l'avant et une brigantine à l'arrière).

Aujourd'hui, ce joli bateau ancien que l'on voit souvent sur les côtes anglaises de la Manche est de nouveau gréé en ketch à corne, mais sans fortune carrée et avec une bôme de grand-voile. Eric Ruck, son propriétaire actuel, le conserve en parfait état et lorsque je l'en complimentai, il se borna à me répondre : je le considère comme un vieux monument et le traite avec le respect qui lui est dû."

Nous remercions également pour sa réponse, J.-M. Trévily, de Toulon (83).

Je recherche un bateau ancien en bois de plus de 9 mètres, même à rénover, qu'il s'agisse d'un voilier ou d'un bateau de pêche susceptible de recevoir un gréement. Possibilité de l'échanger en partie contre un sloup bermudien de 8,50m et/ou d'une petite maison en cours de rénovation près de Callac.
M. Mazé-Madec, 25, rue Aristide Lucas, 29217 Le Conquet. Tél. 98 89 07 16.

N'ayant plus assez de temps à consacrer à mon projet, je vends une coque de ketch aurique type Colin Archer en ferro-ciment. Elle est dotée de ses mâts, de ses voiles en coton et d'un moteur Perkins diesel refait de 45 ch. Restent à finir quelques travaux intérieurs et extérieurs. Le bateau est visible à Saint-Malo (35). Prix : 120 000 F à débattre. Yann Bars. Tél. 99 82 69 84.

Je possède un Grondin que je remets actuellement en état. Malheureusement je dois déménager et donc m'en séparer. Construit en 1955 à Doëlan, il est bordé en acajou. Longueur : 6,40m. Le gréement (mât et voiles) est complet. Le bateau est visible chez Doëlan Nautique (29). Prix : 20 000 F.
Doëlan Nautique, 29 360 Clohars-Carnoët. Tél. 98 71 50 76.

Je recherche un gréement d'occasion pour mon sloup marconi. A savoir, une grand voile de 7,30m de guindant et de 2,95m de bordure, avec un bourrelet pour mât et bôme; un foc de 6,50m de guindant, une trinquette de 5 à 6m de guindant, avec pour chacun 2m de bordure. La couleur peut varier du jaune orange au marron chocolat.
Y. Carnec, 26 rue de Kermaria, 22580 Plouha. Tél. 96 22 41 55.

Ce Carol Ketch construit au chantier Sirvent d'Aigues-Mortes est à vendre. L. 13m x l. 3.65m x t.e. 1,30m. Il est gréé houari avec une grand voile aurique, un génois sur enrouleur, trinquette et tourmentin; voile d'artimon marconi. Il est armé en 1ère catégorie avec un équipement très complet (pilote automatique, Satnav, Loran, etc.); annexe avec moteur de 4 ch, survie 1988. Le bateau est visible à Port-Leucate (11). Prix : 550 000 F à débattre.
G. Micard. Tél. 50 38 48 40 ou 68 40 99 22.

Pour acquérir un autre voilier, je vends *Corisande*, un Atlante Mallard de 1971. L. 8,47m x 2,47m x t.e. 1,35m. Il a subi une refonte et un réarmement complets en 1990 : peinture coque et pont, préventif époxy sur œuvres vives. Moteur Yanmar 1 GM, voiles neuves de 1990, radeau classe 5, taud; armement en 4e catégorie complet : loch, speedo, sondeur, pilote, etc. Superbe et en parfait état, il est visible chez Marine Arzal (56). Prix : 125 000 F.
Tél. 40 89 71 81 (après 20h) ou 97 45 03 50.

Le *Saint Gildas*, extrapolation d'un petit sloup langoustier, a été construit en 1954 au chantier Pichavant de Pont-l'Abbé (29). Coque en chêne, moteur Volvo diesel de 25 ch, jeu de voiles complet; deux couchettes et deux banettes. Il est armé en 4e catégorie et est visible aux Sables-d'Olonne (85). Prix : 170 000 F (expertise).
Tél. 51 95 57 63 (dom.) ou 51 21 35 52.

Nous déménageons et devons nous séparer avec beaucoup de regrets de notre joli canot breton. Construit en 1960, ce canot de 3,66m est équipé d'un moteur à essence Bernard de 4 ch. Nous le vendons avec annexe, corps-mort et matériel. Prix : 8 000 F. Joëlle Joseph, 4, rue du Groënland, 35400 Saint-Malo (35).
Tél. 99 56 19 06.

Sapho est un ketch construit sur plans Cornu par le chantier Klein en 1968. Coque en iroko et acajou, pont en teck de Birmanie. L. 11,20m x l. 3,05m. Il est doté de deux jeux de voiles dont un jeu complet neuf de 1989; moteur Peugeot Indénor diesel 6 cylindres refait en 1990. Armé en 2e catégorie, *Sapho* est doté d'un équipement électronique très complet et d'une survie Zodiac en container de 6 places; 4 immenses couchettes en deux cabines. Il a participé à de nombreuses courses et régates (Nioulargue, coupe Phocéa...). Il est visible à Marseille (13). Prix : 300 000 F.
Jean Simonetti, 2, rue Henri Barbusse, 13241 Marseille cedex 01. Tél. 91 90 10 63

L'International Aile Class, association des propriétaires de voiliers Aile, cherche à entrer en contact avec un chantier pouvant construire soit en contre-plaqué/époxy, soit coque en plastique/pont en bois, mais avec espars en bois.
Notre association recherche également des épaves d'Ailes, des lests et toutes pièces d'accastillage.
P. Neveu, 49, avenue J. Curie, 92 000 Nanterre.

Je vends mon bateau dont la coque est en restauration. Il a été construit en 1936 à La Trinité-sur-Mer. L. 5,95m x l. 2,42m. Il se trouve à l'île de Ré et je le céderai à un amateur charpentier pour 5 000 F à débattre.
Marie-Claire Devos.
Tél. 16 (1) 39 76 82 61.

Nous vendons un sloup en acajou rivé cuivre, construit en 1964 sur plans Sergent. L. 11m x l. 3m x t.e. 1,20m. Voilure complète, moteur Volvo Indénor de 75 ch. Deux cabines, 6 couchettes, aménagements intérieurs soignés, équipements électroniques nombreux. Ce bateau est visible en Languedoc. Prix : 160 000 F (expertisé 250 000 F en 1991).
Tél. 66 58 52 43 ; Fax 66 59 49 77.

J'achète, à un prix raisonnable, un cotre aurique à restaurer, mesurant de 9 à 11 mètres, ou un petit chalutier en bois.
Tél. 97 67 13 99.

Je vends un canot automobile d'après-guerre, "style 24 heures de Paris". Il est complet et en bon état. Prix : 15 000 F.
Tél. 93 63 53 44.

Je vends un Sailmaster 22 de Sparkman et Stephen. L. 6,70m x l. 2,15m x t.e. 0,72m. Ce dériveur lesté est gréé en sloup; sa coque est en plastique renforcé. Il possède 4 voiles, un moteur Evinrude de 8,9 ch, un taud et une remorque 2 essieux. Le bateau est visible à Locmariaquer (56). Prix : 50 000 F.
Tél. 97 57 36 44.

Vedra, sloup de croisière construit en Hollande, a été réalisé en 1961 sur des plans Camper et Nicholson. L. 9,40m x l. 2,50m x t.e. 1,55m. Il est construit en bordés classiques de pitchpin, mât en spruce gréé au 7/8e. Ce bateau parfaitement entretenu est équipé de 12 voiles et d'un moteur Volvo de 7 ch. Il est visible à Saint-Vaast-La-Hougue (50).
Prix : 120 000 F.
J.F. Detrée, 50450 Saint-Denis-Le-Gast. Tél. 33 05 95 00 (bur.).

Karina est un Requin construit en 1958 par les chantiers Pouvreau. Il est bien équipé et prêt à naviguer. Il est visible à Camaret (29).
Tél. 98 27 57 80.

Je vends un Cornish Crabber de 1981. L. 7,31m x l. 2,48m x t.e. 0,74m/1,42m. La coque est en plastique, le pont en contre-plaqué plastifié. Le moteur Yanmar YS8 a été totalement refait en 1988. Ce bateau, complet, armé en 4ᵉ catégorie, est en excellent état; il est visible à Perros-Guirec (22).
Tél. 99 64 59 12.

Ça Ira est un sloup de pêche construit en 1950 par le chantier Durand à Marans (17). L. 9,60m x l. 3,42m x t.e. 1,60m. Cette très belle coque est en chêne; membrures doublées; pont, rouf et pavois ont été refaits en iroko, les aménagements intérieurs et le barrotage du rouf sont en orme verni. Moteur Baudouin DB2 révisé, ligne d'arbre neuve. Le gréement aurique reste à installer. Le bateau est visible à Poissy (78). Prix : 80 000 F.
Tél. 16 (1) 46 22 97 40 (le soir).

Je vends l'*Espoir*, un canot vendéen de 5,80m construit en 1933 au chantier Lodovici de Noirmoutier. La coque a été restaurée l'an passé. Il est gréé d'une grand voile, d'une trinquette et d'un foc en coton. L'*Espoir* est visible au Minihic-sur-Rance (35). Prix : 12 000 F.
B. Carel. Tél. 99 60 04 43 ou 99 29 71 87.

Je cède un dériveur en bois de type Courlis construit par les chantiers Bernard Frères de La Tremblade (17) en 1963. Long de 5,87m, il est équipé de quatre voiles (grand voile, génois, foc, tourmentin). Il a besoin d'une bonne remise en état.
Prix : 6 000 F.
Tél. 46 90 40 19.

Je cherche un bateau voile-aviron, en bon état et de préférence en bois, d'environ 4,50m à 5m. Il doit être léger et transportable sur remorque. Je souhaite l'utiliser en mer et sur lac. Faire offre, si possible avec une photo.
Jacques Boillat, rue de Marcy, 01 210 Ornex.

Je vends une coque de canot sardinier construite au chantier Bastien à Quiberon en 1954. L. 7m x l. 2,50m. Les membrures sont en chêne. Ce bateau a navigué à la voile; il possède de mât et vergue. Moteur fixe. Il est visible à Locmariaquer (56). Prix à débattre. Tél. 97 57 32 59 (après 20 h.).

Je serais très reconnaissant aux photographes de bateaux traditionnels qui voudraient bien me communiquer des photographies ou négatifs de *La Mouette Rieuse* "sous voiles".
Yannick Le Pavec, La Croix, 56 870 Baden.

Urgent ! Je recherche un ancien chalutier en bois dont la coque serait en bon état, avec ou sans moteur. Longueur minimum : 28 mètres, maximum : 38 mètres; largeur : environ 5 mètres. Il n'est pas destiné à la pêche et sera entièrement réaménagé; il peut donc éventuellement être vide ou partiellement démonté. Transmettre les documents, plans, photos, prix et coordonnées.
Roland Oger. Fax : 97 21 57 45.

Lois est un lougre de pêche de Cornouailles britannique. Ce superbe bateau, construit en 1913 en pin sur membrures en chêne, est le dernier des drifters de Mount's Bay. Il a conservé son gréement au tiers. L. 10,50m x l. 3,60m x t.e. 1,50m. Il est gréé de deux mâts et de 4 voiles neuves en Duradon. Moteur diesel Ford de 60 ch. Ce bateau qui a été restauré de 1986 à 1990, est doté de 5 couchettes dont une double et de tout le confort. *Lois* est arrivé 3ᵉ au rassemblement de Looe où il a également reçu la coupe du plus vieux bateau de la fête. Il est visible dans le Devon (GB).
Prix : 295 000 F à débattre.
Tél. 19 44 392 43 99 83.

Je souhaiterais acquérir un canot voile-aviron d'une longueur de 5 à 6 mètres maximum en bon état. H. Rey. Tél. 16 (1) 48 00 38 99 (bur.) ou 16 (1) 45 04 81 09 (dom.).

Je vends un canot à misaine en bois. Ce bateau de 4,30m a été construit en 1956 chez Dubernet aux Sables-d'Olonne. Il est en excellent état et a été repeint en 1990. Voile marron de 8m², moteur fixe Couach à essence de 6 ch, moteur h.b. Suzuki de 4 ch, ancre, taud. Il est visible à Dinard (35). Prix : 23 000 F.
Tél. 20 46 83 36.

Je vends une Caravelle pêche en bois, construite en 1980 chez Stéphan à Concarneau. L. 4,63m x l. 1,80m. Voiles, équipement, le tout en très bon état. Elle est visible à Locmaria, Belle-Ile (56). Prix : 2 500 F.
Tél. 40 77 92 70 (le soir).

Je vends un bateau en acajou construit en 1981. L. 8,25m x l. 2,50m. Surface de voilure de 54 m², moteur Volvo Penta de 20 ch; 4 couchettes. En parfait état, ce bateau est visible à Aussonautica, Savona, Italie.
Prix : 150 000 F.
G. Drago. Tél. 19 39 19 48 43 95.

Je vends un cotre construit en 1947 chez Vandernotte à Nantes sur plan Humblot.. L. 6,50m x l. 2,33m x t.e. 1,15m. Gréement houari, moteur essence Couach BD2 à réviser. Le bateau est visible aux chantiers d'hivernage de l'Odet à Sainte-Marine (29). Prix :20 000 F.
Tél. 43 81 69 33 (après 20 h.).

Je vends mon yawl (dériveur lesté) construit en 1961 par Nautic Saintonge. L. 9,81m x l. 2,80m x t.e. 1,30/2,80m. C'est une construction classique très saine, coque acajou, membrures chêne. Le pont a été entièrement refait et le puits de dérive en inox est neuf. Moteur diesel Volvo de 13 ch, Basic 200 tout neuf, survie, radio, annexe, etc, le tout en très bon état. Le bateau est visible à flot à Brigneau (29S).
Prix: 130 000 F. Tél. 98 71 06 89.

Inspiré de la prame norvégienne du *Chasse-Marée*, ce voilier de 3,50m est en clins de contreplaqué marine, collés et recouverts d'époxy. Coque gris clair, intérieur verni, voile bleue. Mât, livarde et avirons en red cedar. Je précise que ce n'est pas un bateau de mer. Je l'ai construit pour les eaux calmes de la Marne. Léger, je voulais pouvoir le mettre à l'eau tout seul.
E. Audrain. Tél. 16 (1) 48 89 71 34.

LES ANNONCES DU CHASSE-MARÉE
Les annonces du Chasse-Marée ont grandement contribué à relancer le marché d'occasion des bateaux en bois : il vous en coûtera 250 F pour un bateau de plus de 7 mètres et 150 F pour un bateau de moins de 7 mètres (texte et photo).Elles sont, sauf exception, réservées aux bateaux en bois et aux bateaux de travail.

MARINES

GUERRE - COMMERCE

Revue d'histoire maritime

Tous les deux mois, *MARINES* propose des articles sur les marines de commerce et de guerre françaises et étrangères. Écrits par de vrais spécialistes, illustrés par des documents souvent inédits, ils présentent des navires, des compagnies ou des événements qui ont marqué l'histoire navale. Les 15 numéros déjà parus doivent figurer dans votre bibliothèque.

Au sommaire du n° 15 (septembre/octobre) : L'histoire des pétroliers français, Le raid de St-Nazaire, Le paquebot *El Djézair*, Le *Renard* de Surcouf, Le cuirassé *Brennus*, La protection des convois, Le *Triomphant* sur toutes les mers. Le numéro 16 sera en kiosques le 15 novembre. Profitez de notre offre exceptionnelle pour découvrir *MARINES* dans les meilleures conditions.

Liste des sommaires contre une enveloppe timbrée.

Les 15 premiers n° (plus de 800 pages !) :
299 F au lieu de 549 F

France : Port gratuit.   Etranger : + 25 F

MARINES, 70, boulevard de Brou, 01000 Bourg-en-Bresse

COLLECTION : HISTORY OF YACHT DESIGNS

Unique, « la » collection du Yachting mondial.
Format exceptionnel de 445 x 315. Un mètre ouvert.
La plus riche somme de plans de toute l'histoire de la Plaisance.
Tirages limités, signés des auteurs.

AMERICA'S CUP YACHT DESIGNS 1851-1986.
« La coupe a enfin sa bible », 8 kg,
Toute l'histoire et tous les plans depuis l'origine.

AMERICAN AND BRITISH YACHT DESIGNS 1870-1887.
Tous les plans, photos et histoires de ce tournant du yachting mondial. En 2 tomes.

Possibilité de règlement en trois versements mensuels consécutifs à l'issue desquels les livres sont expédiés à l'adresse que vous nous indiquez.

☐ Edition normale A.C.Y.D. .... F 2 000	☐ Edition normale A.B.Y.D. les 2 tomes ... F 2 000
☐ Edition de luxe, reliure cuir, 100 Ex. .... F 4 000	☐ Edition de luxe, reliure cuir, 50 Ex. ...... F 4 000
Frais d'envoi, par livre .... F 100	Frais d'envoi, par livre les 2 tomes ...... F 200

2e tome bientôt disponible.

Règlement par chèque ou mandat, à l'ordre de
FRANÇOIS CHEVALIER & JACQUES TAGLAND
104, rue du Faubourg Saint-Antoine, 75012 PARIS. Tél. : (1) 43.07.05.11

Votre permis bateau avec la mer pour professeur.

Pour apprendre à naviguer, la haute mer est riche d'enseignements.
Alors passez votre permis bateau ou initiez-vous à la navigation astronomique.
Et vous qui êtes utilisateur de moteur diesel marin, la mécanique
n'aura plus de secrets pour vous en embarquant sur nos navires
avec des officiers mécaniciens pour professeurs.
A bord des plus beaux bateaux de la Manche,
avec pour encadrement l'élite des officiers de la Marine Marchande,
vous "vivrez" le plus passionnant des stages, dans une ambiance de croisière.

PERMIS BATEAU A et B	MECANIQUE MOTEUR	NAVIGATION ASTRONOMIQUE
Stages de 7 jours de préparation intensive.	Stages de 7 jours de pratique intensive.	Stages d'une semaine "la tête dans les étoiles"
4900F*	**5150F***	**4900F***
cours, 7 jours en pension complète (cabine individuelle).	cours, 7 jours en pension complète (cabine individuelle).	cours, 7 jours en pension complète (cabine individuelle).

Brittany Ferries
1er transporteur français sur la Manche.

HAUTEFEUILLE

*Prix au 1.01.92

Pour tout savoir sur nos stages en mer, renvoyez-nous dès aujourd'hui ce coupon-réponse:
Vous recevrez gratuitement et sans engagement de votre part la documentation complète Brittany-Ferries.

Nom |

Adresse |

Code Postal | Ville

92141N1

Retournez ce bon à Brittany-Ferries - "Permis bateau" - 29688 Roscoff cedex - Tél.: 98 29 28 58 - Minitel: 3615 FERRYPLUS
Notre numéro d'enregistrement auprès de la Préfecture de la Région Bretagne : 53 29 00 480 29

VOILERIE CUDENNEC
voiles traditionnelles
Rue Alain Colas
Port de plaisance du Moulin Blanc
29200 BREST
☎ 98.44.79.80

Général Leclerc

Photo : Studio Claude

Quelques peintres de la Marine

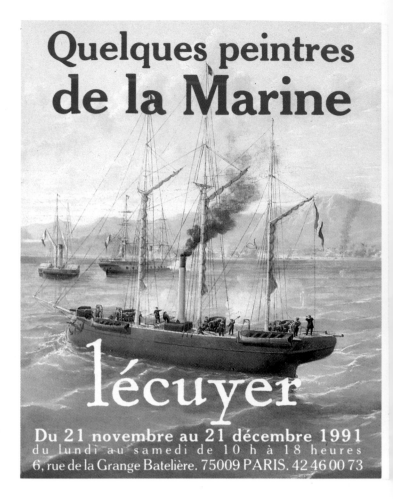

lécuyer

Du 21 novembre au 21 décembre 1991
du lundi au samedi de 10 h à 18 heures
6, rue de la Grange Batelière. 75009 PARIS. 42 46 00 73

Abonnez vous a Yacht Digest

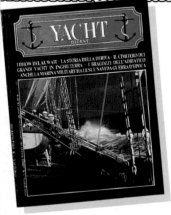

Yacht Digest est, en Italie, la seule revue qui traite des bateaux traditionnels, des yachts classiques, de l'histoire et des traditions maritimes, et du modélisme naval. Yacht Digest est le meilleur moyen de savoir ce qui se passe en Italie, dans le domaine du bateau traditionnel.

Pour recevoir Yacht Digest chez vous, remplir et retourner ce coupon à :

YACHT DIGEST
CASA EDITRICE SCODE
corso Monforte 36
20122 MILAN (ITALIE)

Oui, je désire profiter de votre offre.

Nom: _____ Prénom: _____

Rue: _____ N. _____

Ville: _____ Code Postal: _____

Pays: _____

Je m'abonne a Yacht Digest

☐ Pour un an (6 numéros): 50.000 lire

☐ Pour deux ans (12 numéros): 100.000 lire

Ci-joint mon reglement de _____ lire a l'ordre de:

Casa Editrice Scode S.p.A.

☐ Par virement bancaire

☐ A débiter sur ma carte bancaire   ☐ VISA   ☐ DINERS

N. _____ Exp. _____

Date _____ Signature _____

(Offre valable jusqu'au 31.12.1992)

⚓ **bleu marine**

56360 Belle-Isle-en-Mer

Josseline Rivière

Vaisselle en porcelaine

possibilité de personnalisation

Expédition par correspondance   Catalogue sur demande

quai Saint Nicolas à Sauzon

Tél. 97 31 64 73 — Fax 97 31 61 29

GALERIE DES ISLES

160, BOULEVARD DU MONTPARNASSE
75014 PARIS - TEL (1) 43 35 43 43

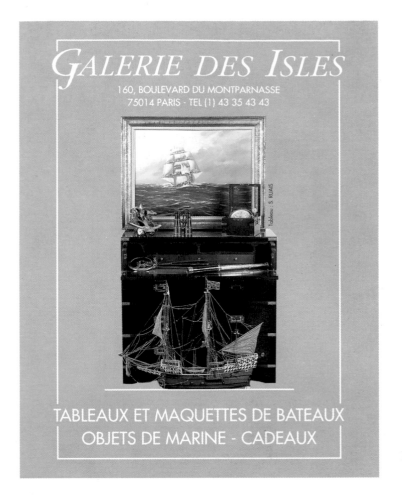

Tableau : S. RUAS

TABLEAUX ET MAQUETTES DE BATEAUX
OBJETS DE MARINE - CADEAUX

VOILERIE TONNERRE
35, rue Ingénieur Verrière
56100 LORIENT - Tél. : 97.37.23.55

LA PASSION D'UN MÉTIER AU SERVICE DES BATEAUX TRADITIONNELS

VOILE - AVIRON
Dory plume

Dory plume - Canot Voile Aviron

BATEAUX CLASSIQUES
Pen-Duick
Margareth 8ᴹ J1
Ilderim 8ᴹ J1
Hispania 8ᴹ J1

''Pen-Duick''

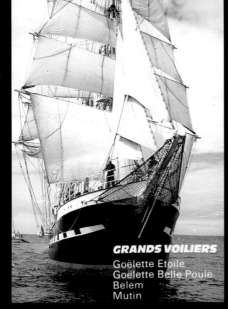

GRANDS VOILIERS
Goëlette Etoile
Goëlette Belle Poule
Belem
Mutin

Belem

Photo Michel Thersiquel

VHF RADIOMARITIME.
LA COMMUNICATION PREND LE LARGE
AVEC VOUS.

Avec la VHF automatique de FRANCE TELECOM (service radiotéléphonique maritime et fluvial), vous restez toujours en contact avec la terre ferme. Jusqu'à 30 milles marins des côtes et à tout moment, vous pouvez appeler et être appelé comme vous voulez, en toute liberté. Car la VHF vous permet de communiquer avec n'importe quel abonné au téléphone, comme avec les services maritimes et portuaires, et les autres bateaux. Désormais la communication vous appartient et la mer aussi. Pour vous informer, appelez le N° Vert 05 19 20 21.

VOUS BOUGEZ ET LE MONDE VOUS SUIT

FRANCE TELECOM

UN AVENIR D'AVANCE

Photo Ginette CAOUS

CHARPENTIERS RÉUNIS

TOUTES CONSTRUCTIONS BOIS

Zone Artisanale
35260 CANCALE
Téléphone 99 89 99 99

AVEL ABENN
11,80 m Chaloupe,
croisière (1ère catégorie),
8 couchettes

TAILLEVENT
7,13 m Chaloupe, voile-aviron,
régate, randonnée,
école de voile

ILUR
4,46 m Misainier, voile-aviron,
promenade, pêche

Photo Gwen LIGUET

AVEL MOR
4,25 m Misainier, voile-aviron,
promenade, pêche

AVEL BRAMM
3,70 m Yole
pour deux rameurs

AVEL BIHAN
3,50 m Misainier pour enfants,
proposé fini
ou en kit

AVEL ZIL
2,30 m Annexe,
gréé d'une misaine

Compagnie des Mascareignes

Fabricant de Maquettes de Bateaux, vous propose, en direct de ses ateliers à un prix exceptionnel le HMS Bounty.

Ce modèle entièrement exécuté à la main à partir des plans du British Museum de Greenwich vous rappelle l'épopée fantastique de ces hommes hors du commun, les Révoltés du Bounty.

Cette époque glorieuse de la Marine à voile, vivez là quotidiennement chez vous et laisser vous emporter vers ces horizons lointains. Cette fidèle reproduction réalisée entièrement à partir de bois précieux, le teck représente l'expression la plus pure de l'habileté et de la précision de la main.

Vous la recevrez parfaitement finie, en couplé bordé, poulies carrées, figures de proue sculptées dans le bois massif, et cette oeuvre d'art constituera un élément riche en valeur et en histoire de votre patrimoine.

(Délai de livraison 2 à 6 semaines)

Nom _____ Prénom _____

Adresse _____

Code postal / Ville _____

Tél _____

Je choisis ma maquette du HMS
Bounty au prix de:

❑ 51 cm...................... 3200 F
❑ 64 cm...................... 3500 F
❑ 96 cm...................... 4200 F
❑ Le catalogue................ 30 F

Je joins un chèque à ma commande de 50%
soit .... Fr à l'ordre de Compagnie
des Mascareignes, je règle le solde à la
livraison en contre-remboursement.
*Envoyer à : Compagnie des Mascareignes
23 avenue de Mulhouse, 17000 La Rochelle
Tél. 46 50 56 55 - Fax 46 50 62 67*

TECHNIQUES DE COLLAGE ET D'ÉTANCHÉITÉ

COLLES A BOIS QUALITE MARINE:
PPU - PPU 100 - Résorcine - Epoxy - Urée Formol
RESINES EPOXY - POLYESTER
MASTICS D'ETANCHEITE:
Silicones et P.U.
PEINTURES MARINES
JOINT DE CALFATAGE:
Pour lattes de pont
LATTES DE TECK

Renseignements et documentation sur demande

**Expéditions aux Professionnels, Associations
et Constructeurs amateurs sur toute la France**

COMERAP

385 Route de Clisson - 44230 St SEBASTIEN SUR LOIRE
Tél: 40 34 80 34 - Télex: 700 202 F
Télécopie: 40 34 75 56

MARINE D'AUTREFOIS

GILDAS de KERDREL

80, Av. des Ternes. 75017 Paris
Tél. (1) 45.74.23.97. De 10 h à 19 h

- Antiquités
- Maquettes
- Tableaux
- Réalisation à la demande de maquettes et 1/2 coques
- Restauration de maquettes
- Achat d'antiquités

CHANTIER NAVAL DU TREGOR SARL

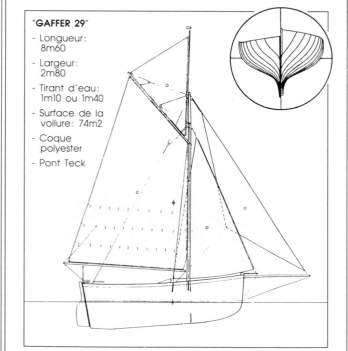

"GAFFER 29"
- Longueur:
  8m60
- Largeur:
  2m80
- Tirant d'eau:
  1m10 ou 1m40
- Surface de la
  voilure: 74m2
- Coque
  polyester
- Pont Teck

LE TOENO - BP 29 - 22560 TREBEURDEN
TEL. 96 23 52 09

SICOMIN

Le Bois,
*Vous l'aimez...
Nous le protégeons !*

**Epoxy Marine
Collage - Revêtement**

La
résine du
Doryplume

SICOMIN OUEST
ZA le Guirric
29120 PONT-L'ABBE
Tél 98 87 30 93

SICOMIN SUD
Quartier la Moutte
13220 CHATEAUNEUF-LES-MARTIGUES
Tél 42 81 51 51

31e SALON NAUTIQUE

7-16 DECEMBRE 91

PARIS
PORTE DE VERSAILLES

Tous les jours de 10 h à 19 h - Nocturne jeudi 12 décembre jusqu'à 23 h
Organisé à l'initiative de la Fédération des Industries Nautiques - Renseignements : 3616 code SALONS

VOILES
RICHARD DE RÉ

25 ANS D'EXPÉRIENCE
AU SERVICE DE LA TRADITION

22 Rue Gaspart France
17410 St-MARTIN-DE-RÉ . 46 09 21 48

NAVIGUER, TOUT SIMPLEMENT
Drascombe
Une gamme de bateaux simples

SAMUEL MARINE
IMPORTATEUR

56370 SARZEAU - Tél. 97 26 83 36 - Fax 97 53 97 23

BRETAGNE :
- **Samuel Marine**, Sarzeau, 97 26 83 36

ATLANTIQUE :
- **Rivages**, La Rochelle, 46 44 70 93
- **Caye Nautic**, Arcachon, 56 60 70 28

MEDITERRANNEE :
- **Auto Loisir**, Aix en Provence, 42 92 37 08
- **Nauti Sud**, St Cyr Les Lecques, 94 26 53 39

HÉLICES
et LIGNES D'ARBRES

MAUCOUR
depuis 1868

5, rue de la Dutée (ZIL)
C.P. 1202 - 44806 ST HERBLAIN Cedex

Tél. 40 92 16 36
Fax 40 92 02 89 - Télex 701 550 F

ATELIER
DE LA QUILLE AUX MATS
Constructions et Réparations Navales,
Bois et Dérivés

Espars en bois
Calfatage
Entretien à flot
Vente de bois au détail
Quincaillerie Marine

Zone Artisanale Les Minimes
17000 LA ROCHELLE

46.45.15.67

CREDIT MARITIME
LA BANQUE DES GRANDS ESPACES

Choisissez une banque à la mesure de vos ambitions.
Le domaine du Crédit Maritime, c'est le plus grand des espaces
que l'on puisse trouver sur terre : la mer. Une immensité limitée
seulement par l'horizon. La vocation du Crédit Maritime, c'est de
financer et de faire fructifier la mer et ses activités (pêches
maritimes, cultures marines…) mais aussi toutes les activités de
l'économie du littoral.
Chaque jour la mer gagne du terrain.
Et le Crédit Maritime avec elle.
Vous aussi, rejoignez le Crédit Maritime.
Ensemble, nous avancerons et nous ferons reculer l'horizon.

crédit maritime

QUINCAILLERIE de MARINE

*"Vous recherchez l'introuvable ?
ou nous l'avons ou nous l'aurons..."*

⚓ RIVETS CUIVRE, CARVELLES, ETOUPE, BITORD, BRAI...

⚓ ACCASTILLAGE LAITON: Hublots, taquets, chaumards, ferrures de Bôme...

⚓ ACCASTILLAGE GALVA: Rocambots, frettes, ancres...

⚓ ACCASTILLAGE BOIS: Poulies, cap-moutons, cercles de mat, cabillots, taquets.

⚓ VAISSELLE DE BORD

⚓ DECORATION MARINE: Lampes, dioramas, 1/2 coques, gravures...

⚓ Vêtements de mer: PULLS "CAPTAIN"

MENGUY-MAGUET

Place de la Résistance - 29100 Douarnenez

Tél. 98 92 00 97 ⚓ Fax. 98 92 27 60

Catalogue sur demande contre 10 Frs en chèque.

CYSTEM

Chantier Naval de l'Ile Ste Marguerite
CANNES 06400

Longueur jusqu'à 40 m et capacité jusqu'à 250 T.

REFECTION ET CALFATAGE DES PONTS ET DES COQUE
CHARPENTE, MENUISERIE
AMENAGEMENTS INTERIEURS
MECANIQUE MARINE
SABLAGE DES COQUES, CARENAGE, PEINTURE

Tél. : 93.43.33.50 - Fax : 93.94.58.44

IMAGES DE SAINT-PIERRE-ET-MIQUELON

NOTRE SÉLECTION

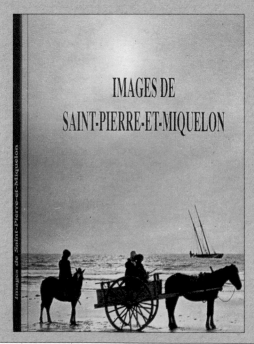

Issus de l'exposition "IMAGES DE St-PIERRE-ET-MIQUELON" organisée par la Maison de la Culture du HAVRE en 1990, cent quatre-vingt-huit clichés exceptionnels racontent la vie quotidienne sur l'archipel, de 1860 à 1930 environ.

Des maisons en bois de St-Pierre au phare de l'Ile-aux-chiens, de la plage de Langlade au bourg de Miquelon, une extraordinaire série de documents sur la pêche du capelan à la senne, l'armement des doris, le séchage des morues sur les "graves", le boëttage des lignes à bord des trois-mâts, les "chauffauts" du French Shore, sans oublier la contrebande de l'alcool au temps de la Prohibition...

IMAGES DE St-PIERRE-ET-MIQUELON de Jean-Pierre CASTELAIN et Yves LEROY
Un bel ouvrage relié de 136 pages Format 21,5 cm x 31 cm
Diffusé par *le Chasse-Marée* (voir bon de commande)

BON DE COMMANDE	NOM _____ Prénom _____ N° _____ Rue _____ Code _____ Ville _____	**B** **60**	Tarif franco en vigueur au 01. 11. 1991 Délai de livraison environ 15 jours

REVUE LE CHASSE-MARÉE

ABONNEMENT

Je désire m'abonner au *Chasse-Marée* à compter du n° 61

Abonnement simple

	France	Etranger	Par avion
☐ 1 an - 8 numéros (soit 100 F d'économie)	380 F	450 F	560 F
☐ 2 ans - 16 numéros (soit 260 F d'économie)	700 F	850 F	1070 F

Abonnement + Hors-série photos

	France	Etranger	Par avion
☐ 1 an - 8 numéros + Album n° 2 (soit 160 F d'économie)	440 F	510 F	630 F
☐ 2 ans - 16 numéros + Albums n° 2 et 3 (soit 380 F d'économie)	820 F	970 F	1210 F

YCM ANCIENS NUMÉROS : 60 F CHACUN

n°1 ☐ n°2 ☐ n° 3 ☐ n°4 ☐ n°5 ☐ n°6 ☐ n°7 ☐ n°8 ☐
n°9 ☐ n°10 ☐ n°11 ☐ n°12 ☐ n°13 ☐ n°14 ☐ n°15 ☐ n°16 ☐
n°17 ☐ n°18 ☐ n°19 ☐ n°20 ☐ n°21 ☐ n°22 ☐ n°23 ☐ n°24 ☐
n°25 ☐ n°26 ☐ n°27 ☐ n°28 ☐ n°29 ☐ n°30 ☐ n°31 ☐ n°32 ☐
n°33 ☐ n°34 ☐ n°35 ☐ n°36 ☐ n°37 ☐ n°38 ☐ n°39 ☐ n°40 ☐
n°41 ☐ n°42 ☐ n°43 ☐ n°44 ☐ n°45 ☐ n°46 ☐ n°47 ☐ n°48 ☐
n°49 ☐ n°50 ☐ n°51 ☐ n°52 ☐ n°53 ☐ n°54 ☐ n°55 ☐ n°56 ☐
n°57 ☐ n°58 ☐ n°59 ☐

ALBUMS HORS-SÉRIES PHOTOS DU CHASSE-MARÉE

HC 91 ☐ Album photos hors série n° 1............120 F
HC 92 ☐ Album photos hors série n° 2............120 F

LES RELIURES

R01 ☐ Reliure toilée pour 6 numéros............90 F
R02 ☐ 2 reliures toilées............170 F

Offre spéciale "complétez votre collection"

YBA ☐ Les 6 premiers numéros de 1 à 6 inclus + 1 reliure gratuite **360 F**
YBB ☐ Les 6 suivants de 7 à 12 inclus + une reliure gratuite **360 F**
YBC ☐ Les 6 suivants de 13 à 18 inclus + une reliure gratuite **360 F**
YBD ☐ Les 6 suivants de 19 à 24 inclus + une reliure gratuite **360 F**
YBE ☐ Les 6 suivants de 25 à 30 inclus + une reliure gratuite **360 F**
YBF ☐ Les 6 suivants de 31 à 36 inclus + une reliure gratuite **360 F**
YBG ☐ Les 6 suivants de 37 à 42 inclus + une reliure gratuite **360 F**
YBH ☐ Les 6 suivants de 43 à 48 inclus + une reliure gratuite **360 F**
YBI ☐ Les 6 suivants de 49 à 54 inclus + une reliure gratuite **360 F**
YBJ ☐ Les 6 suivants de 55 à 60 inclus + une reliure gratuite **360 F**

Les albums du Chasse-Marée

LBM ☐ Les Bisquines (broché)............120 F
LCM ☐ Les Bisquines (relié)............160 F
LDM ☐ Les grands voiliers (broché)............120 F
LEM ☐ Les grands voiliers (relié)............160 F
LFM ☐ Le chant de marin (broché)............120 F
LGM ☐ Le chant de marin (relié)............160 F
LUL ☐ Guide des voiliers (relié)............110 F
LYL ☐ Album Souvenir DZ 88 (relié)............135 F

LIVRES : je désire recevoir...

LAM ☐ Pilote des côtes de la Manche t. 1............270 F
LVL ☐ La Batellerie bretonne............450 F
LTL ☐ Construire un bateau en bois, (relié)............310 F
LOL ☐ Pilote des côtes t. 1............260 F
LRL ☐ Pilote des côtes t. 2............260 F
LKL ☐ Le sauvetage en mer............320 F
LJL ☐ Remorqueurs de haute mer............320 F
LDL ☐ Bateaux de l'aventure t. 1............310 F
LML ☐ Bateaux de l'aventure t. 2............320 F
LNL ☐ **Les Pieds-Lourds**............350 F
LPL ☐ **Les Goémoniers**............450 F
AR VAG :
LAL ☐ **Sardiniers et thoniers t. 1**............450 F
LBL ☐ **Langoustiers et caboteurs t. 2**............450 F
LCL ☐ **De Brest à Lorient t. 3**............490 F
LEL ☐ Bateaux de Normandie............450 F
LFL ☐ Dictionnaire pittoresque de marine............230 F
HS1 ☐ Cahiers de chants de marin............100 F

ALBUMS D'ART

KAL ☐ OUESSANT............450 F
KBL ☐ M. MÉHEUT, Peintre de la mer (t. 1)............450 F
KHL ☐ M. MÉHEUT, La Bretagne rurale (t. 2)............450 F
KIL ☐ PETITES MARINES, de J.J. Baugean............450 F
KGL ☐ MARINES de CH. Leduc............450 F
KFL ☐ MARINES de CH. Mozin............365 F
KCL ☐ MARINES de E.W. Cooke............340 F
KLL ☐ **HENRI RIVIERE**............460 F
KKL ☐ **MAXIME MAUFRA**............460 F
KML ☐ PAUL-ÉMILE PAJOT............460 F

VIENT DE PARAÎTRE

LZM ☐ **NATURE EN BRETAGNE** de F. de Beaulieu et J.L. Le Moigne............490 F

NOTRE SÉLECTION

JEL ☐ Images de St Pierre et Miquelon 180 F + port, 20 F............200 F

VIDEO

DC3 ☐ BEKEN : La splendeur de la voile............250 F

JULES PARESSANT

Reproductions d'art en couleurs au format 50 x 65 cm
Tirage numéroté, limité à 1000 ex.

PJA ☐ Ouessant fougères rouges............100 F
PJB ☐ Ouessant rochers bleus............100 F
PJC ☐ Penkalet vagues mauves............100 F
PJD ☐ Entrée de port SN 7175............100 F
PJE ☐ Les 4 reproductions de J. PARESSANT............320 F

VIENT DE PARAITRE

LME ☐ **TRAITÉ DE CONSTRUCTION DES YATCHS A VOILES de C.M Chevreux** 2 volumes sous coffret illustré en couleurs, réimpression en fac-similé de l'édition originale de 1898............690 F

LOM ☐ **LE CANOTAGE EN FRANCE - 1858 Histoire des débuts de la plaisance** volume illustré, 340 pages env. format 15 x 23 cm, reliure pleine toile sous jaquette illustrée............370 F

DÉJÀ PARU

KNL ☐ LES PEINTRES DE BERCK............460 F
KNT ☐ La suite de planches en tirés à part............250 F
LKM ☐ DICTIONNAIRE DE MARINE de SOE............450 F
LLM ☐ **TRAITÉ DE CONSTRUCTION - DERVIN**............360 F
LMM ☐ **CONSTRUCTION BOIS** les techniques modernes (F. Vivier)............290 F

CARTES POSTALES

OB1 ☐ P.E. PAJOT, (24 cartes + enveloppes)............100 F
OB2 ☐ H. RIVIERE, (idem)............100 F
OA9 ☐ M. MÉHEUT : "la mer", (idem)............100 F
OA6 ☐ M. MÉHEUT : "la Bretagne", (idem)............100 F
OA5 ☐ H. KÉRISIT, (idem)............100 F
OB3 ☐ H. KÉRISIT, série de 16 cartes 2 volets............100 F
OA7 ☐ M. MAUFRA, (26 cartes + enveloppes)............100 F
OA4 ☐ DOUARNENEZ 86, (16 cartes + enveloppes)............56 F

GRANDES MARINES DE J. BELLIS (FORMAT 50 x 65 CM)

QAJ ☐ LOUGRE À QUIMPER, **NOUVEAU**............100 F
QAG ☐ BRICK À SAINT-MALO............100 F
QAH ☐ BRICK À HONFLEUR............100 F

DOSSIERS ET PLANS DE CONSTRUCTION

MB14 ☐ MONOTYPE D'ARCACHON : **NOUVEAU**............320 F
MB13 ☐ Canoë bois : **NOUVEAU**............350 F
MB12 ☐ Canoë entoilé............250 F
MB3 ☐ ABER............420 F
MB4 ☐ PRAME NORVÉGIENNE............320 F
MB5 ☐ ILUR............450 F

CHANTS DE MARINS

CABESTAN : GWERZ PENMARC'H - PRIX CHARLES CROS.
DGZ ☐ Le CD............120 F
CGZ ☐ La cassette............90 F
CABESTAN VOL. 1
DCA ☐ Le disque 33t............71 F
Cabestan, vol. 2
DCB ☐ Le disque 33t............71 F

NOUVEAU : CHANTS DE MARINS NANTAIS
DGR ☐ Le CD............120 F
CGR ☐ La cassette............90 F

SÉLECTION DE L'ANTHOLOGIE VOL. 1
DGY ☐ Le CD............120 F
CGW ☐ La cassette............90 F

SÉLECTION DE L'ANTHOLOGIE VOL. 2
DGM ☐ Le CD............120 F
CGY ☐ La cassette............90 F

L'ANTHOLOGIE DES CHANTS DE MER
DV1 ☐ Disque vol. 1 : traditionnel............142 F
DV2 ☐ Disque vol. 2 : long-courriers............142 F
DV3 ☐ Disque vol. 3 : danses et complaintes............142 F
DV4 ☐ Disque vol. 4 : chants anglais............142 F
DV5 ☐ Disque vol. 5 : mariniers............142 F
DY2 ☐ Les 5 sous coffret, **OFFRE SPÉCIALE**............400 F
CV5 ☐ La cassette vol. 5 : mariniers............142 F

PORTRAITS DE BATEAUX DE H.KÉRISIT

Couleurs, Ft 40 x 50 cm : 90 F - Ft 50 x 65 cm : 100 F

40 x 50	50 x 65
☐ PCD	☐ PBL N.D. de Quelvain
☐ PCG	☐ PBA Chaloupe de Douarnenez
☐ PCF	☐ PBB République de Concarneau
	☐ PBC Bisquine de Cancale
☐ PCX	☐ PBD Gabare A. Gerbault
	☐ PBE Sinago du Morbihan
☐ PCC	☐ PBF Barque de Trouville
☐ PCZ	☐ PBT Goélette de Paimpol
☐ PCE	☐ PBM Fleur de l'Odet
☐ PCA	☐ PBG Thonier Pot Piwisi
☐ PCB	☐ PBH Gazelle des Sables d'Olonne
☐ PCY	☐ PBI Dundée langoustier de Camaret
	☐ PBJ Dundée mauritanien de DZ
	☐ PBK Dundée harenguier de Boulogne

BATEAUX DES COTES DE FRANCE (FORMAT 50 x 65 CM)

PBU ☐ *La Granvillaise* (bisquine)............100 F
PBW ☐ *Le Renard* (Saint-Malo)............100 F
PBX ☐ *Corentin*, (lougre de l'Odet)............100 F
PBZ ☐ *la Belle Angèle* (Chasse-Marée de l'Aven)............100 F

KITS CONSTRUCTION DORYPLUME

NMH ☐ Envoyez-moi sans engagement le dossier de commande avec les formulaires de demande de prêt bancaire.

Ci-joint mon règlement de _____ F à retourner sous enveloppe affranchie à :
à l'ordre de : *Le Chasse-Marée*

par chèque bancaire ☐
par C.C.P. ☐
par mandat ☐
par carte bancaire ☐ n° _____

LE CHASSE-MARÉE
Abri du marin B.P. 159
29171 DOUARNENEZ CEDEX

Supplément pour les expéditions par avion :

pour un livre............90 F
Pour un disque et K7............30 F
pour un portrait de bateau............20 F
Pour une reliure............20 F

Date _____

Signature _____

Je m'abonne

Le Chasse-Marée a besoin de votre abonnement pour vivre et continuer à défendre et mettre en valeur notre patrimoine. Vous serez assurés de recevoir régulièrement (et en bon état) votre revue. Vous ferez en même temps une économie appréciable.